SOMMARIO

KV-412-246

PAPERINIK n. 136 - Gennaio 2005

PAPERINIK 136

© Disney
Codice ISSN 1123-881X

Questo periodico è iscritto alla Federazione Italiana Editori Giornali

FIEG

■ **Direttore responsabile**
Claretta Muci
■ **Vicedirettore**
Ezio Sisto
■ **Redazione**
Lidia Cannatella (caporedattore comics), Davide Catenacci (caposervizio fumetti), Santo Scarcella (caposervizio attualità), Silvia Banfi, Barbara Garufi
Stefano Petruccelli, Gabriella Valera
■ **Art director**
Aldo Carrier Ragazzi
■ **Redazione grafica e artistica**
Vito Notarnicola (caposervizio), Luana Ballerani, Cristina Meroni
■ **Segreteria di redazione**
Mila Botton (responsabile), Monica Gazzoli, Antonella Sgarzi
■ **Editing**
Epierre
■ **Copertina**
Alessio Coppola (concept),
Fabio Celoni (disegno) e Marco Bolla (colore)
■ **Abbonamenti**
Direzione: Andrea Grampa
Subscription manager: Alessandro Doninelli
Customer & Service assistant: Marinella Schieppati
Segreteria: Donata Fallarini
■ **International**
Direzione: Silvia Figini
Coordinamento: Paola Tirelli
■ **Operations**
Direzione: Franco Zanaboni
Coordinamento: Domenica Viviani
■ **Marketing**
Direzione: Gabriella Crespi
Marketing manager: Domenico Luciano
Product manager: Ileana Cappelletti
Segreteria: Silvia Brandi

■ **Advertising**
Direzione: Sergio Baro
Advertising manager: Simona Imperial
Advertising coordinator: Piero Strada

The Walt Disney Company Italia spa

Presidente
● Umberto Virri
Direttore generale publishing
● Alessandro Belloni
Direttore divisione periodici
● Mauro Lepore

Direzione periodici Disney - Via S. Sandri 1 - 20121 Milano
tel. 02/29085-1; fax redazione 02/29085162
Pubblicazione registrata presso il Tribunale di Milano n. 587 del 24 luglio 1991
Ufficio Abbonamenti - L'abbonamento può essere sottoscritto telefonicamente al numero **199 190 019**.
Per comunicazioni: numero di fax **02/29085190**, oppure servizio on-line **www.disney.it**
Servizio arretrati: telefonare al numero **02/29085191**
Corrispondenza - Paperinik C.P.340 - 20101 Milano.
Pubblicità: Mondadori Pubblicità spa - Sede Centrale: 20090 Segrate (Milano) - tel 02/75422003 - fax 02/75422010.
E-mail: trodella@mondadori.it
Fotolito copertina: Litomilano Carugate (MI)
Stampa e rilegatura: Nuovo Istituto Italiano Arti Grafiche - Bergamo
Distribuzione e diffusione
A&G Marco Spa, via Fortezza 27
20126 Milano tel. 02/25261; telex 02/350320; fax 02/27000823
Distribuito da Johnsons
International News Italia Srl
Via Valparaiso 4 - 20144 Milano
Tel. +39 02 43.98.22.63 - fax +39 02 43.91.64.30

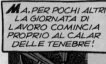

MA, PER POCHI ALTRI, LA GIORNATA DI LAVORO COMINCIA PROPRIO AL CALAR DELLE TENEBRE!

SALVE, AMICI DELLA NOTTE! QUI E' IL VOSTRO JACK MIDNIGHT!

YAWWN... CHE SONNO! DETESTO I TURNI DI NOTTE...

FORZA CON QUELL'ARTICOLO! ANDIAMO IN STAMPA TRA DUE ORE!

QUI PATTUGLIA CINQUE A CENTRALE... SI RICHIEDE UN CARRO ATTREZZI!

MA NON TUTTE LE ATTIVITÀ DELLA NOTTE SONO COSI' EDIFICANTI! PROTETTI DAL BUIO, SI AGGIRANO ANCHE LOSCHI FIGURI...

AAHIAA!

SBRADABANG

...AL GIUNGERE DELL'ALBA, IL NOSTRO EROE COMINCIA AD ACCUSARE UNA CERTA STANCHEZZA!

AH! AH!

PUFF...FERMATI, SE TI ACCHIAPPO...PANT...TI FACCIO VEDERE IO, TI FACCIO!

AL LADRO!

MERCATI GENERALI N.1

...ANF...GASP!

BE', SI PUO' SAPERE CHE TI PRENDE?

TE LO SEI LASCIATO SCAPPARE! CHE RAZZA DI SUPER EROE SEI? ERA PURE A PIEDI!

GRRRRR!

BASTAAAA! NON NE POSSO PIU'!

OGNI NOTTE TUTTO IL CRIMINE DI PAPEROPOLI E' SULLE MIE SPALLE! NON POSSO OCCUPARMI DI OGNI COSA! ANCH'IO HO I MIEI LIMITI!

EHM... SCUSA PAPERINIK! NON VOLEVO...

UFF... NO, NON FA NULLA! E' SOLO CHE, A QUEST'ORA... SONO UN PO' IRRITABILE!

SIGH! ALTRO CHE IRRITABILE! LA VERITA' E' CHE NON CE LA FACCIO PIU'!

TUTTI MI CHIAMANO SUPER EROE, MA IN FONDO SONO SOLO UN VIGILANTE MASCHERATO! SENZA I MIEI GADGET TECNOLOGICI...

... SAREI UN PAPERO COME TUTTI GLI ALTRI! MAGARI AVESSI DEI VERI **SUPER POTERI**! MI SERVIREBBE PROPRIO UNA MARCIA IN PIU'!

ALLA FINE DI OGNI NOTTE, SONO RIDOTTO UNO STRACCIO DAL SONNO... SONNO... **ZZZ**...

11

14

BE', MA CHE COS...

UH?

GLAB! AVARIA! SONO STATO PRIVATO DELLA FORZA DI GRAVITA'!

LO SAPEVO CHE ERI UN PALLONE GONFIATO! AH! AH! AH!

SGRUNT! VEDIAMO SE RIDERETE ANCORA, DOPO UNA SCARICA DI...

ULP!

CHE C'E', EROE? TI E' SCADUTA LA GARANZIA?

SPRONG

SCRUNK

NON VI ILLUDETE! ANCHE SE ORA FUGGIRETE, VI RIAG-GUATERO'!

OH, MA NOI NON ABBIAMO INTEN-ZIONE DI FUGGIRE!

AH, NO?. AVETE DECISO DI COSTITUIRVI?

NON ESATTAMENTE!

15

IN VERITÀ, CI SEMBREREBBE UN PECCATO NON APPROFITTARE DI QUESTA OCCASIONE!

EHI! UN MOMENTO! NON SI POTREBBE DISCUTERNE TRA AMICI?

APPENA TROVEREMO UN **AMICO**, GLIENE PARLEREMO!

GRACK!

?

URGH! INCREDIBILE!

?

NON C'È NIENTE DA FARE! PAPERINIK È TROPPO SUPER!

STA SOLO GIOCANDO, CON NOI!

FILIAMO, PRESTO!

MA... MA...

...MA STANNO SCAPPANDO! FERMATEVI! È UN ORDIN...

16

EH?!

WOLF

OUFF! MA COS...

TUMB

LO AVEVO DETTO, IO, CHE ERA TROPPO SUPER!

NE CONVENGO!

NOI ANDIAMO A COSTITUIRCI, COME AVEVI SUGGERITO TU!

GIÀ! LA GALERA E' UN POSTO PIU' SALUBRE!

BRAVI! E BADATE CHE VI TENGO D'OCCHIO!

IN QUANTO A ME, SARA' MEGLIO CHE CHIEDA A QUALCUNO DI SPIEGARMI QUESTI STRANI FENOMENI!

E COSÌ...

INCREDIBILE!

EHM... CHE COSA, ARCHIMEDE?

HO APPENA TERMINATO I TUOI ESAMI, E LI HO CONFRONTATI...

...CON QUELLI DEL RESIDUO DI METEORITE CHE MI HAI PORTATO!

E ALLORA?

L'AEROLITO POSSEDEVA UNA POTENTISSIMA CARICA, CHE HA IN QUALCHE MODO RILASCIATO!

L'ESPLOSIONE LUMINOSA!

IL TUO CORPO L'HA ASSORBITA COMPLETAMENTE, DOTANDOTI DI UNA VASTA GAMMA DI POTERI!

VUOI DIRE CHE...

PROPRIO COSÌ! ADESSO SEI UN... SUPER PAPERINIK!

UAO!

ORA VOGLIO ANDARE A PROVARE I MIEI POTERI SUL CAMPO!

ASPETTA! DEVI ANCORA SOTTOPORTI A PARECCHI ESAMI! BISOGNA STUDIARE...

IL CRIMINE NON ATTENDE ESAMI! VIA, A IPERVE-LOCITÀ'!

PRIMA DEVI ATTI-VARE UN CAMPO DI FORZA, ALTRIMENTI...

ZOT

STRAP

EEEEEK!

SIGH!

DICEVO... ALTRIMENTI L'ATTRITO CON L'ARIA TI STRAPPERÀ' I VESTITI!

ME NE SONO ACCORTO! COMINCIAMO GLI ESAMI?

QUELLA SERA...

UFF! UN'INTERA GIORNATA PERSA A FARMI PASSARE AL MICROSCOPIO!

E IN PIU', ARCHIMEDE MI HA FATTO PROMETTERE DI NON USARE I SUPERPOTERI, FINCHE' NON MI AVRA' ESAMINATO MEGLIO!

UACK! L'ANTIFURTO DI UN NEGOZIO! DEVO INTERVENIRE!

ANCHE SENZA SUPER POTERI, SONO SEMPRE PAPERINIK! DECOLLO!

GASP! SONO DECOLLATO IO... E HO AFFOSSATO LA 313!

COMINCIO A CAPIRE COSA INTENDESSE ARCHIMEDE!

GUARDA, MAMMA! ANCHE PAPERINIK PRENDE LA METROPOLITANA!

GRRR... NONOSTANTE TUTTO, NON MI SFUGGIRANNO!

O FORSE SI'? **SIGH!** ORMAI HANNO PRESO IL LARGO!

UN MOMENTO! HO ANCORA L'IPERVELOCITA'! ATTIVO IL CAMPO DI FORZA E...

...VIA! PIU' VELOCE DELLA LUCE!

CAPPERI, CHE ACCELERATA! NON VORREI AVERLI GIÀ SUPERATI!

PIOWNNNNNNN

MEGLIO FERMARSI A CONTROLLARE!

SCRREEECH

ARGH! TEMO DI ESSERMI FATTO PRENDERE LA MANO! ANZI, I PIEDI!

È INUTILE! SOB! QUESTI SUPER-POTERI SONO TROPPO DIFFICILI DA GESTIRE! TORNERÒ A CASA PER VIA DIPLOMATICA!

DOPO UN LUNGO VIAGGIO E UN VELOCE CAMBIO D'ABITO...

AAH! CASA, DOLCE CASA, FINALMENTE!

CIAO, ZIO! SIAMO TORNATI!

ECCO, APPUNTO!

COME MAI GIA' QUI?

IL CAMPO HA CHIUSO IN ANTICIPO! MA... NON SEI CONTENTO DI VEDERCI?

CHI, IO? SI', SI', CONTENTISSIMO!

ALLORA PERCHE' TI COMPORTI COME SE AVESSIMO IL MORBILLO?

IL MORB... NO, VOI STATE BENISSIMO! SONO IO... COFF... CHE SONO MALATO! SONO CONTAGIOSISSIMO!

MALATO? MA... COS'HAI?

VE LO SPIEGHERO' PIU' TARDI! PER IL MOMENTO, PARCHEGGIATEVI DA NONNA PAPERA FINO A NUOVO ORDINE!

?!?!

SIGH! QUESTI POTERI MI STANNO ANCHE ALLONTANANDO DAGLI AFFETTI DELLA FAMIGLIA!

NON POSSO CORRERE IL RISCHIO DI... SNIFF... MA COSA...

GASP! MA CHE SUCCEDE?

CIAO, PAPERUNCOLO! STO BRUCIANDO UN PO' DI FOGLIE! NON TI DISPIACE, VERO?

URGH!

GRRR! E NON POSSO NEANCHE ARRABBIARMI, O LO DISINTEGRO! MI VERRÀ UN ESAURIMENTO NERVOSO!

NON PUO' ANDARE AVANTI COSI'! ARCHIMEDE DEVE TROVARE UNA SOLUZIONE!

28

DIFFICOLTA' A GESTIRE LE TUE CAPACITA', EH? LO AVEVO IMMAGINATO!

ARCHIMEDE Pitagorico

INFATTI, HO APPENA FINITO DI ASSEMBLARE LA **SOLUZIONE** AI TUOI PROBLEMI!

SAREBBE?

LA PAPERINIK-SUPERTUTA! INDOSSALA, FORZA!

QUELL'AFFARE LI'? E COME SI USA?

E' MOLTO SEMPLICE! LA TUTA SMORZA LA TUA CARICA, ANNULLANDO I SUPER POTERI!

OGNI VOLTA CHE VORRAI USARNE UNO, TI BASTERA' DIGITARE LA COMBINAZIONE NUMERICA A ESSO ABBINATA...

POCO DOPO...

TU E LA TUA ASSURDA SUPERTUTA! HA PIU' NUMERI DI UN ELENCO DEL TELEFONO!

MI DISPIACE, MA IL PROGRAMMA DEL COMPUTER DI BORDO E' TROPPO COMPLICATO!

NON SI POSSONO UTILIZZARE CODICI PIU' SEMPLICI!

SIGH!

NON C'E' CHE UNA SOLUZIONE!

MI RITIRERO' NEL DESERTO, DOVE NON DANNEGGERO' NESSUNO! ADDIO PER SEMPRE, ARCHIMEDE!

SNIFF! ADDIO, PAPERINIK!

PAPERINIK! FINALMENTE TI ABBIAMO TROVATO!

SCREEEAAK

SEI L'**UNICO** CHE' PUO' FERMARLO!

FERMARLO? FERMARE COSA?

QUELLO!

UACK! CHE... CHE COSA E'?

WROOAAARRRR

E'IL NUOVO MODELLO DI **SUPERDEMOLITORE** COMPLETAMENTE AUTOMATICO! ERA ESPOSTO ALLA FIERA EDILIZIA DI PAPEROPOLI!

MA IL SUO PROGRAMMA E' ANDATO IN **TILT** E SI E' BLOCCATO SU **DEMOLIZIONE TOTALE**! E ADESSO PUNTA SULLA CITTA'!

FINALMENTE UN **AVVERSARIO** ADATTO A ME! INFATTI NON DEVO AVERE, PAURA DI DEMOLIRLO!

FERMO LA', RAGAZZO-NE! E' **PAPERINIK L'INVULNERABILE** CHE TE LO ORD...

GRIND GRIND GRIND GRIND GRIND GRIND

AH, E' COSI'? VUOI IL GIOCO PESANTE, EH? EBBENE, LO AVRAI!

35

AH, ECCO LA CITTADINANZA RICONOSCENTE!

NON RINGRAZIATEMI, MIEI CARI! HO SOLO FATTO IL MIO DOVERE!

RINGRAZIARTI?

ALTRO CHE RINGRAZIARTI! *VANDALO! UNNO!*

MA... NON CAPISCO...

AH, NON CAPISCE? GUARDA! LA VOSTRA LOTTA HA CAUSATO PIU' DANNI DI UN TERREMOTO!

38

URGLE! CHE BOTTA! MA COM'E' CHE NON SONO PIU' INVULNE- RABILE?

LO SCOPRIRO' DOPO! ADESSO E' MEGLIO FILARE, PRIMA CHE I MIEI INSEGUITORI MI... UH?!

MA DOVE SONO? E COME MAI LA CITTA' E' INTATTA?

ORA RICORDO! STAVO TORNANDO A CASA ED ERO COSI' STANCO CHE ...MI SONO ADDORMENTATO ALLA GUIDA! MA ALLORA...

ALLORA HO **SOGNATO** TUTTO! NON SONO UN SUPERPAPERO! NON E' SUCCESSO NIENTE!

GIA'...TRANNE L'INCIDENTE CON LA 313!

MI TOCCHERA' SPINGERLA FINO AL LABORATORIO DI ARCHIMEDE!

SIGH! ADESSO UN PO' DI SUPERFORZA MI FAREBBE COMODO! MA, DOPOTUTTO... E' MEGLIO COSI'!

PAPERINIK! UN EROE INDISCUSSO, INDOMABILE, INVINCIBILE!

EPPURE, IN QUESTA EPICA AVVENTURA VERRANNO MESSI IN DISCUSSIONE LA SUA FAMA, IL SUO ONORE, IL SUO PRESTIGIO... PERSINO LA MEMORIA DELLE SUE NOBILI ORIGINI!

TUTTO HA INIZIO IN UN CALDO POMERIGGIO...

FERMO, AGENTE SEGRETO 0074!

FERMO TU, 0072!

NO! FERMI TUTTI E DUE!

LA VOSTRA CARRIERA E' FINITA!

E' QUEL CHE DICO ANCH'IO!

BASTA CON QUESTO CHIASSO! HO BISOGNO DI CONCENTRAZIONE!

UMPF!

SIAMO ALLE SOLITE!

NOI NON POSSIAMO GIOCARE...

...PERCHE' LUI DEVE RONFARE TUTTO IL POMERIGGIO!

COSA FARESTI SENZA DIVANO?

...O SUL LETTO...

SEMPLICE! RIPOSEREBBE IN POLTRONA...

DESPOTA!

TIRANNO!

SILENZIO! ABBIATE RISPETTO PER L'ETÀ!

LIBERTICIDA!

...O SULL'AMACA!

ORA BASTA! FILATE IN CAMERA A FARE I COMPITI!

NIPOTE!

OH, NO! CI MANCAVA SOLO LUI!

SIGH! OFFRIMI LA TUA SPALLA CONSOLATRICE!

QUALE TERRIBILE SCIAGURA TI AFFLIGGE?

C'E' POCO DA SCHERZARE! IL COMUNE HA MESSO IN VENDITA UN VECCHIO TERRENO NON LONTANO DA PAPEROPOLI!

OHI LÀ, CHE NOTIZIA!

ROCKERDUCK E' RIUSCITO A SOFFIARMELO!

QUEL TANGHERO ADESSO POSSIEDE IL POGGIO DELLE ROSE, IN LOCALITÀ ROSETO!

TI SONO VICINO NELLA TRAGEDIA...TSK!

EHI, UN MOMENTO! IL POGGIO DELLE ROSE!

E' LAGGIÙ CHE SORGEVA VILLA ROSA, DIMORA DI FANTOMIUS, IL FAMOSO LADRO GENTILUOMO!

E FU LAGGIU' CHE, PROPRIO GRAZIE AI TRUCCHI E CONGEGNI SEGRETI DI FANTO-MIUS, NACQUE PAPERINIK!

POI QUELLO SCRITERIATO DI GASTONE LA DISTRUSSE E...

A COSA PENSI, NIPOTE? TI VEDO DISTRATTO! NON TI INTERESSANO I MIEI GUAI?

AL CONTRA-RIO! MI INTE-RESSANO MOLTO! CON-TINUA!

BE', E' CHIARO CHE ORA QUEL TANGHERO VORRA' COSTRUIRCI PER LUCRARE!

COSA ?! COSTRUIRA'?

45

PER COSTRUIRE BISOGNA PRIMA **DEMOLIRE**! E COSÌ, ADDIO RUDERI!

E ADDIO **MEMORIA STORICA** DELLE **ORIGINI** DI **PAPERINIK**!

FRA MENO DI UN'ORA, IL MILIARDARUCOLO RIUNIRÀ I SUOI SOCI PER DISCUTERE IL DA FARSI!

UHM... BUONO A SAPERSI!

TRA L'ALTRO... UHM... QUESTO **POGGIO DELLE ROSE** NON MI È NUOVO... A TE NON DICE NIENTE?

EH? UHM... BOH?

MA **CERTO**! ERA LÌ CHE SORGEVA **VILLA ROSA**!

DOVREBBE ESSERE UN LUOGO MOLTO CARO A PAPERINIK!

AH... DAVVERO?

46

PFUI! E TU SARE-STI AMICO DI PAPERINIK?

CERTO CHE LO SONO! LUI HA MOLTA FIDUCIA IN ME!

FIDUCIA MAL RIPOSTA, VISTO CHE NON RICORDI NEPPURE LA SUA CASA NATALE!

ANCHE LUI, PERÒ... STRANO CHE NON INTERVENGA A DIFENDERE IL SUO ONORE!

SE FOSSI AL SUO POSTO, FAREI SPROFONDARE QUEL MESCHINELLO DI ROCKERDUCK FRA GLI STESSI RUDERI CHE VUOLE DEMOLIRE!

SE SEI DAVVERO SUO AMICO, DIGLI DI INTER-VENIRE! E DIGLI ANCHE CHE...

...PAPERONE È DALLA SUA PARTE! E LO AIUTERÀ IN OGNI MODO!

IN OGNI MODO? ANCHE FINANZIA-RIAMENTE?

BE', EHM... PAPERINIK NON È COSÌ VENALE... MA SE PROPRIO NON SE NE POTESSE FARE A MENO...

ORA VADO! GLI AFFARI MI ATTENDONO!

ANCH'IO HO UN SACCO DI COSETTE DA SISTEMARE!

I NIPOTINI SONO ANCORA IN CAMERA LORO! MEGLIO COSÌ!

...GRAZIE AL PRODIGIOSO *ARMADIO-ASCENSORE*...

ENTRO ANCH'IO NELLA MIA E POI...

... ECCOMI NEL **RIFUGIO** SEGRETO!

TAPPI RADIO-AMPLIFICATORI PER ASCOLTARE A LUNGA DISTANZA...

...QUALCHE CAR-CAN, LE PRODIGIOSE CARA-MELLE-CANCELLIN, SEMPRE UTI-LISSIME!

UHM... ANCHE QUESTE POSSONO SERVIRE!

BENE! PAPERINIK E' PRONTO A INTERVENIRE!

ORA, SU...

... E POI VIA!

EHI! NON PENSAVO CHE NE ESISTESSERO ANCORA!

UN VECCHIO TEATRINO DEI BURATTINI!

UHM... QUELLE MASCHERE MI SUGGERISCONO QUALCOSA...

EH! EH! STAREI A GUARDARLE PER ORE! PURTROPPO...

... IL MIO AMICO PAPERINIK HA UN IMPEGNO!

ECCOMI ARRIVATO!

EH! EH! ADESSO SONO DAVVERO TUTT'ORECCHI!

CARISSIMI SOCI, OGGI ESA-MINEREMO IL MEGA-PROGET-TO EDILIZIO "POGGIO DEL-LE ROSE"!

Progetto:
"Il Poggio delle Rose"

UMPF! GIUSTO IN TEMPO!

RADEREMO AL SUOLO TUTTI QUEGLI INUTILI RUDERI!

GRRR! SARAI TU UN INUTILE RUDERE!

POTETE RIPETERE, PREGO?

U-ULP! NON CE L'AVEVO CON VOI!

SARÀ... COMUNQUE, UNA BELLA MULTA PER DIVIETO DI SOSTA NON VE LA TOGLIE NESSUNO!

52

UMPF! E MI TOCCA ANCHE ALLONTANARMI!

SPERIAMO CHE I TAPPI ABBIANO UN RAGGIO SUFFICIENTEMENTE AMPIO!

GLAB! SI DICE CHE IL POGGIO DELLE ROSE SIA STREGATO!

E CHE FRA I RUDERI DI VILLA ROSA ALEGGI ANCORA IL FANTASMA DI FANTOMIUS!

BAH! SCIOCCHEZZE!

DICONO PURE CHE PAPERINIK SIA MOLTO LEGATO A QUEI LUOGHI!

NON TEMETE CHE POSSA IRRITARSI, SE DEMOLITE TUTTO?

TSK! TSK!

NON HO CERTO PAURA DI UN **BUFFONCELLO** IN CALZAMAGLIA!

GRRR! COME OSA PARLARE COSÌ DI UN **EROE**?

GLI DARÒ UNA LEZIONE **MEMORABILE** E **DEFINITIVA**!

EHM... IN REALTÀ TEMO UNA REAZIONE DI PAPERINIK... MA DEVO MOSTRARMI CORAGGIOSO CON I MIEI SOCI!

PER DIMOSTRARVI CHE NON C'È NULLA DA TEMERE, LA RIUNIONE DI DOMANI SERA SI TERRÀ PROPRIO NEI SOTTERRANEI DI VILLA ROSA!

ANCHE IO!

COSA?

EHM... IO AVREI GIÀ UN IMPEGNO!

SE NON FOSSI UN EROE **FORTE** E **SICURO**, AMMETTEREI QUASI DI PROVARE UNA GRANDE EMOZIONE NEL TORNARE QUI!

OGNI ANGOLO, OGNI ALBERO, OGNI PIETRA SCONNESSA, MI RICORDA QUALCOS...

...AAAH! QUESTA NON LA RICORDAVO!

AHI!

ULP! DOVE SONO FINITO?

METTEREMO A PUNTO IL PIANO PER LA COSTRUZIONE DEL MEGACOMPLESSO TURISTICO!

GLAB!

SE PROPRIO NON SE NE PUO' FARE A MENO...

CHE FAVOLOSA COSTRUZIONE! E PENSARE CHE C'E' CHI VORREBBE DISTRUGGERLA!

PER SAPERNE DI PIU', CI VORREBBE...

...UN ALTRO DIARIO SEGRETO! EH! EH! PROPRIO SIMILE A QUELLO CHE TROVAI ANNI FA AL PIANO DI SOPRA!

LO SAPEVO! PARLA DEI SOTTERRANEI!

60

UHM... MOLTO, MOLTO INTERESSANTE!

AVRÒ BISOGNO, COME SEMPRE, DI UNA PREZIOSA COLLABORAZIONE...

INUTILE CHIEDERSI DI CHI...

NON C'È TEMPO DA PERDERE, ARCHIMEDE! BISOGNA COMINCIARE I LAVORI STANOTTE STESSA!

GIÀ... YAWN! SOLO IL MIO SONNO PUÒ ATTENDERE!

BIP

CE LA FARAI PER DOMANI POMERIGGIO?

MI CHIEDI L'IMPOSSIBILE... MA FARÒ IL POSSIBILE!

EHI! AVRÒ PARECCHIE SPESE PER RESTITUIRE I SOTTERRANEI DI VILLA ROSA AL LORO ANTICO SPLENDORE!

LO SO! TI FINANZIERÀ ZIO PAPERONE!

EH? PAPERONE... EVIDENTEMENTE STO ANCORA SOGNANDO...

NON PREOCCUPARTI! LASCIA FARE A PAPERINIK!

INFATTI...

GASP! CE-CE-CENTOMILA DOLLARI?

TI TIRI INDIETRO?

NO, NO... SOLO CHE...

IL MIO AMICO PAPERINO MI HA DETTO CHE AVEVI PROMESSO DI AIUTARMI!

SÌ, CERTO, MA... NON FINO A CENTOMILA DOLLARI!

COSA CREDEVI? DI FINANZIARE UNA FESTICCIOLA PER BAMBINI?

VUOI PRENDERTI UNA SODDISFAZIONE SU ROCKERDUCK? BENE, SAPPI CHE **NON E'** GRATIS!

SGRUNT!

SNORT! TI DARO' I CENTOMILA, GRASSATORE!

BRAVO! LA FELICITA' NON HA PREZZO!

IL MATTINO DOPO, AL PRIMO DISTRETTO DELLA POLIZIA DI PAPEROPOLI!...

COME VI CHIAMATE?

SONO L'ISPETTORE **PINKO**...

... DETTO "IL PALLINO"!

BENE! COME PRIMO INCARICO, VI DO UN COMPITO SEMPLICE SEMPLICE!

VI AFFIDO IL CONTROLLO NOTTURNO DELLA LOCALITA' **ROSETO**!

UMPF! I PARAURTI ESTEN-SIBILI NON SONO BASTATI A LEVARMI DI TORNO QUEL GUASTAFESTE!

UN PO' DI **FUMO** NEGLI OCCHI LO TERRÀ OCCUPATO!

MA...

IH! IH! HO SEMPRE CON ME GLI **OCCHIALONI ANTI-FUMO!**

INSISTE, EH? VEDREMO SE GLI PIACE L'OLIO!

PFUI! LE **SUPER-GOMME ANTISDRUCCIOLO** ADERI-SCONO ANCHE SUL SAPONE!

ORA BASTA! LO INCHIODERÒ ALL'ASFALTO!

CHIODI! IL TRUCCO È VECCHIO!

LE MIE SUPER-GOMME RINFORZATE ALLO ZINCACCIAIO, OVVIAMENTE, NON LI TEMONO!

SKREEE

UMPF! È COCCIUTO! CI VUOLE UNA MOSSA RISOLUTIVA!

IL BANDITO ACCELERA! ILLUSO! LA MIA MOTO PUÒ RAGGIUNGERLO COMUNQUE!

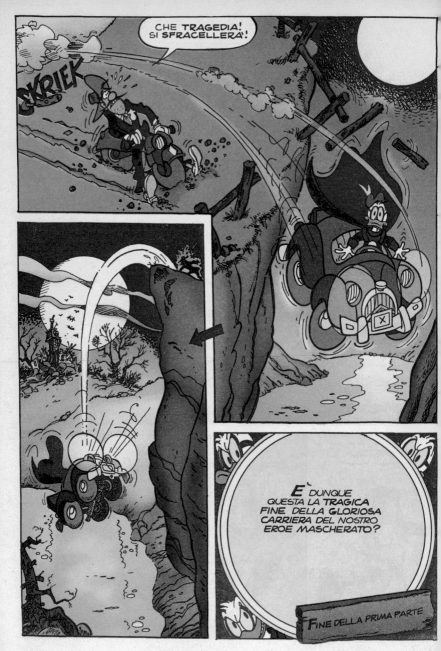

È LA CUSTODE DEL CUORE DI KANDRAKAR.
MA QUALCUN ALTRO CUSTODISCE IL SUO.

WITCH. GIRLS ARE MAGIC.

PAPERINIK

e il RITORNO a VILLA ROSA

SECONDA PARTE

Walt Disney

SPLAT

ROCKERDUCK VUOLE COSTRUIRE UN COMPLESSO EDILIZIO A VILLA ROSA, DOVE E' NATA LA LEGGENDA DI PAPERINIK! CON L'AIUTO DI PAPERONE L'EROE MASCHERATO TENTA DI OPPORSI, MA BRACCATO DALL'ISPETTORE PINKO FINISCE IN UN BURRONE! L'EVENTO SEGNA LA SUA DISFATTA OPPURE PAPERINIK SE LA CAVERA' ANCHE STAVOLTA?

Q-2130-6

SIAMO PROPRIO SICURI CHE LE COSE STIANO COME SEMBRANO? PROVIAMO A TORNARE INDIETRO NEL TEMPO, FINO AL MOMENTO IN CUI...

WRROOOMM

WRROARR

EH! EH! ORA NON PUO' VEDERMI!

OPLA'! DENTRO LA FINTA ROCCIA-RIFUGIO!

ESPULSIONE IMMEDIATA DELLA 313-ROBOT COL MIO MANICHINO...

...E RAPIDISSIMA CHIUSURA DEL PORTELLONE MIMETICO!

ZZZRRR

HA PERSO TERRENO NEL FARE LA CURVA! GLI SONO QUASI SOTTO!

IH! IH! IH!

DAVVERO QUALCUNO HA PENSATO CHE PAPERINIK SI LASCIASSE GIOCARE DAL PRIMO VENUTO?

E ORA... A NOI DUE, ROCKERDUCK!

WRROOM

DOVRAI VEDERTELA CON ME E CON TUTTI I TRUCCHI DI FANTOMIUS E VILLA ROSA!

NON MOLTO DOPO, NELLA GRANDE **SALA DEGLI OSPITI**, UNICA NON SEGRETA DEI SOTTERRANEI DI VILLA ROSA...

MIEI CARI SOCI, SIAMO RIUNITI PER DARE VESTE DEFINITIVA AL NOSTRO PROGETTO!

BRRR... BENE!

GLAB!

75

QUEL QUADRO FA DAVVERO IMPRESSIONE!

TUTTE QUELLE ANTICHE ARMATURE... BRRR!

COSA SUCCEDE? VI VEDO DISTRATTI!

EHM... E' PER VIA DELL'ARREDAMENTO DI QUESTA SALA...

AVETE RAGIONE, MA E' INUTILE RIMODERNARLO, PERCHE' BEN PRESTO SARA' DISTRUTTO!

E' QUEL CHE VEDREMO, CIALTRONE!

NOI ORA SIAMO QUI PER DIMOSTRARE A TUTTI CHE NON ABBIAMO PAURA DI SCIOCCHE SUPERSTIZIONI!

O, MEGLIO, PER FARLO CREDERE A TUTTI! GLOM...

EH! EH! TERRORIZZATI DA SEMPLICI MASCHERE...

...MOSSE COME IN UN VECCHIO TEATRINO DEI BURATTINI!

GENIALE!

BRAVO, PAPERINIK! E' UN PIACERE VEDERTI LAVORARE DIETRO LE QUINTE!

IL PIACERE E' TUTTO MIO, PAPERONE!

TU NON SCAPPI, ROCKERDUCK?

N-N-NO! IO NO-NO-NON HO PAURA!

AH! AH! AH! SONO BASTATI UNA MASCHERA, UN PALLONCINO E UN LENZUOLO FOSFO-RESCENTE PER LIBERARSENE!

E TU HAI PRETESO CENTOMILA DOLLARI PER...

IRRICONOSCENTE! DOVRESTI RINGRAZIAR-MI, PIUTTOSTO!

UMPF!

EH! EH! IN REALTÀ, SONO MOLTO CONTENTO! HO APPENA CONCLUSO L'AFFARE DEL SECOLO!

CARISSIMO PAPERINIK, GRAZIE PER IL CORTESE AIUTO, MA SONO SPIACENTE DI COMUNICARTI CHE...

UH? PAPERINIK! DOVE SEI?

LE PARETI SI STANNO AVVICINANDO!

URGH! BLOCCATA! SONO IN TRAPPOLA!

I TUOI TRUCCHI NON MI SPAVENTANO, PAPERINIK!

E ORA COSA...

GASP! UN MOSTRO MANGIAMONETE!

EH? CHI SI FA BEFFE DEL MIO GRANDE DOLORE?

U-ULP!

GAMBEEE!

FERMO! NON HAI VIA DI SCAMPO! INOLTRE...

...QUESTO **LIQUIDO BLOCCANTE** HA EFFETTO **ISTANTANEO!**

URGH!

SPRUZZ!

E ORA... PARLA!

SI'-SI'-SI', MA...SE-SE-SE SO-SO-SONO BLOCCATO...

...ANCHE LA-LA-LA LI-LI-**LINGUA** È BLOCCATA! COME FACCIO A...

IO, **PAPERINIK**, TE NE CONCE-DO LA POSSIBI-LITÀ! **PARLA!**

EBBENE, IO... SONO TRANQUILLO! NON HO PAURA!

DAVVERO?

MA SE NON TI SEI NEM-MENO ACCORTO CHE QUESTE MONETE... CHOMP! CHOMP... SONO COMMESTIBILI!

U-ULP! SONO DI CIOC-COLATO!

E QUESTE?

BANCONOTE **FALSE!** SI RICONO-SCONO PER-FINO DAL **FRUSCIO!**

E VA BENE, HAI VINTO! CONFESSO TUTTO, MA LASCIA-MI ANDARE!

UN MOMENTO! CONFESSI TUTTO... COSA?

GLAB! ANCHE A ME INTERESSAVA QUESTO TERRENO! VOLEVO CO-STRUIRE UN **MEGACOMPLESSO** PER MILIARDARI!

ROCKERDUCK ERA ARRIVATO PRIMA, MA IN CASO DI RINUNCIA IL **POGGIO DELLE ROSE** SAREBBE STATO MIO!

HO FINTO DI STARE DALLA TUA PARTE SOLO PER ELIMI-NARE QUEL TANGHERO, MA...

...MA IO AVEVO CAPITO TUTTO!

IL TUO APPOGGIO INCONDIZIONATO E SOPRATTUTTO **DISINTERESSATO** ERA TROPPO SOSPETTO!

SIGH!

COSÌ ANCH'IO HO **FINTO** DI RIVELARTI **TUTTI** I TRUCCHI, MA IN REALTÀ NE HO AP-PRONTATI **ALTRI** SU MISURA PER **TE**!

E CON I **MIEI** SOLDI! **SOB!**

E ORA CHE COSA VUOI?

UNA SEMPLICE FIRMA SU QUESTO ATTO...

...CHE ATTRIBUISCE A ME LA TUTELA DI QUESTI LUOGHI E IL RISPETTO DELLA MEMORIA DI **FANTOMIUS**!

NO... NO... NON PUOI...

PREFERISCI ESSERE **POLVERIZZATO**?

FI-FI-FIRMO!

BENE! PUOI MUOVERTI... IL LIQUIDO **BLOCCANTE** E' SOLO **SCIROPPO DI MENTA**!

QUANTO AL LIQUIDO **POLVERIZZANTE**... ASSAGGIA!

NO, NO... TI PREGO! TI **SUPPLICO**!

ASSAGGIA, TI DICO! ORDINE DI **PAPERINIK**!

E VA BENE! SIGH! ADDIO MONDO CRUDEL...

...EH?! SONO ANCORA INTERO O GIA' POLVERIZZATO?

PFUI! DIMMI CHE SAPORE HA!

EHM... SUCCO D'ARANCIA?

BRAVO! RISPOSTA ESATTA! E ORA...

...PER FINIRE, PRENDI DUE CAR-CAN!

ANCORA BERE?

GLU! GLU! GLU!

BRAVO, PAPERONE! DIMENTICA!

EH? UH? DOVE MI TROVO? CHE STRANO LUOGO... NON RICORDO...

EH! EH!

E CHE MAL DI TESTA! SARÀ MEGLIO CHE TORNI A CASA!

TI ACCOMPAGNO FUORI!

E ANCHE LUI È SISTEMATO! EH! EH!

89

QUEST'AVVENTURA SI STA CONCLUDENDO IN MODO **TRIONFALE**! VILLA ROSA E'MIA PER SEMPRE E...

HO ELIMINATO TUTTI I SECCATORI!

NE SEI PROPRIO SICURO?

ARRENDITI, PAPERINIK! SEI IN **TRAPPOLA**!

EH? MA... MA... NON MI CREDEVI SALTATO IN ARIA?

GIA', MA IL MIO **SESTO SENSO** MI HA ORDINATO DI CONTROLLARE... E AVEVA RAGIONE!

SGRUNT!

SU, DA BRAVO, METTITI QUESTE!

NEANCHE PER SOGNO!

90

GASP! ERA UN DOPPIO TRUCCO! IL LAGO C'E' DAVVERO, DIETRO IL TELONE!

SGRUNT... SPLUT... SIGH! LA MIA POVERA MOTO! NON HA MAI POTUTO SOFFRIRE L'UMI- DITA'!

Appuntamento con un GRANDE MAESTRO

€ 7,90

i Maestri
DISNEY
ORO

KINGDOM OF

Speciale Romano Scarpa

Le più belle storie disneyane disegnate da *Romano Scarpa*

© Disney

Ecco un altro imperdibile appuntamento con I Maestri Disney Oro. Tutte le storie più belle raccolte in un volume da collezione. Non perdetelo

DA GENNAIO
IN EDICOLA

QUANDO PAPERINIK MANGIA PESANTE

EHM... CAMERIERE, SIETE SICURO CHE QUELLE VONGOLE SIANO FRESCHE?

MA COME, NON VEDETE? SI MUOVONO!

APPUNTO!

da GIGI l'untone

P-PAPERINO, HO L'IMPRESSIONE CHE MI STIA... FISSANDO!

PERÒ HAI COMINCIATO TU, PAPEROGA! NON STA BENE GUARDARE NEL PIATTO!

...TREMILIARDICINQUECENTOVENTISETTEMILAOTTOCENTOVENTINOVE...

ALLORA! POSSO SAPERE PERCHÉ MI AVETE CERCATO?

CALMA, PAPERINIK!

J-PK56-3

ZIP
ZIP

OBIETTIVO: PAPERINIK

97

98

SERGENTE FELLOW!

OH, SCUSATE...DEVONO ESSERE QUELLE DEL COMPLEANNO DI MIA SUOCERA!

ZIP

ECCO! QUELLE GIUSTE!

EHI! QUESTO LO CONOSCO!

SEMBRA... SEMBRA...

E' BILL BRONZO, PAPERINIK!

ANCHE SE E' UN PO' CAMBIATO DA QUANDO LO HAI SBATTUTO DENTRO PER QUEL TRAFFICO DI CORIANDOLI DI GHISA!

PERCHE' E' COSI' GROSSO? SI E' DECUPLICATO!

MENTRE ERA IN PRIGIONE, SI E' OFFERTO VOLONTARIO PER UNA SERIE DI **ESPERIMENTI** SU UN NUOVO **DENTIFRICIO AL PLUTONIO!**

TEST NON AUTORIZZATI DAL GOVERNO! E INFATTI I RESPONSABILI SONO SOTTO INCHIESTA!

QUANDO ABBIAMO INTERROTTO LE PROVE, ERA TROPPO TARDI!

BILL BRONZO SI E' TRASFORMATO IN UN'INVINCIBILE MACCHINA DA COMBATTIMENTO!

TRE GIORNI FA, DURANTE UNA **CORSA DEI SACCHI**, E' RIUSCITO A FUGGIRE!

OKAY, HAI VINTO!

ESIBIZIONISTA!

ARRI

ABBIAMO TROVATO IL **SACCO** A UNA DECINA DI CHILOMETRI DAL CARCERE!

DEVE AVERLO CAMBIATO! STIAMO FACENDO CONTROLLI! SU TUTTE LE DENUNCE DI FURTO, CAPO!

E IO CHE COSA C'ENTRO?

ABBIAMO TROVATO UNA **TUA** FOTO NELLA SPUTACCHIERA DELLA SUA CELLA!

D-DITE CHE CE L'HA CON ME, TENENTE?

E' PROBABILE CHE TI STIA CERCANDO, PER VENDICARSI! MA NON TI PREOCCUPARE... QUANDO FARA' LA PRIMA MOSSA, GLI SAREMO ADDOSSO!

UN MOMENTO! IO DOVREI FARE DA ESCA?!

NON TI PREOCCUPARE! HO ORDINATO AL **SERGENTE FELLOW** DI TENERE TUTTO IL GIORNO **GLI OCCHI SU DI TE!** E' IL MIO UOMO MIGLIORE!

CHISSA' IL PEGGIORE...

HO GIA' CAPITO COME FARE, CAPO! HO APPESO UN POSTERINO DI **PAPERINIK**, IN UFFICIO, COSI' POTRO' FISSARLO PER ORE E ORE SENZA PROBLEMI!

E' FACILE!

PAPERINIK! TU NON PUOI IMMAGINARE QUANTO SONO EMOZIONATO! PENSI CHE AFFRONTERAI MOLTI **RISCHI**, QUESTA NOTTE?

EH? EH?

NON SAPREI! SE CONTINUI A SBAVARE, FORSE POTREI SCIVOLARE!

UAO! LA CLASSICA BATTUTINA CINICA E SFERZANTE DA SUPEREROE!

FORSE POTREI ESSERE ANCH'IO UN SUPEREROE, EH? DICI CHE POTREI FARE **QUALCOSA DI UTILE** PER L'UMANITÀ?

LÌ C'È IL FIUME, VEDI UN PO' TU!

AH! AH! AH! UN'ALTRA FREDDURA, VERO?

SSST! ARRIVA QUALCUNO! NASCONDIAMOCI!

UHM... STANOTTE NON MI SENTO TRANQUILLO, BUD!

E ALLORA, SBRIGHIAMOCI!

VA BENE SE STO ZITTO?

TACI, O TI DISINTEGRO!

SONO DUE CONTAINER PIENI DI MUTANDE E CALZINI! UN AFFARE!

FIDATI!

UHM... MI AUGURO CHE SIA **ROBA PULITA!**

TI SEI ARRABBIATO? NO? SICURO? MA NON MI STAI PARLANDO PERCHÉ DEVI STARE ZITTO O PERCHÉ CE L'HAI CON ME?

103

105

109

MORIRETE DAL RIDERE O DI PAURA?

IL NUOVO FUMETTO IN EDICOLA IL 13 DI OGNI MESE.

In metropolitana, al Luna Park, nel banco di fianco al vostro, mentre fate colazione. Ormai sono dappertutto. Alcuni sono buoni e, di solito, si fanno riconoscere per un moccio al naso viscido e penzolante. Altri sono orribili e terribilmente cattivi. Sono i mostri di Monster Allergy. Se volete conoscerli, Zick ed Elena Patata vi porteranno nel loro mondo. Ma ne avrete il coraggio?

 Mostri di simpatia.

Paperino
COMBINAGUAI

PER FAVORE! CHIUDETE IL RUBINETTO CHE PERDE, TAGLIATE L'ERBA DEL PRATO, LAVATE LE FINESTRE...

SÌ, SIGNORE! SÌ, SIGNORE! SÌ, SIGNORE!

OPERAIO SPECIALIZ- ZATO RIPARAZIONI A DOMICILIO

CHI MAI CI SARÀ QUI?

ALLORA D'ACCORDO! FATE TUTTO CIÒ CHE VI HO DETTO!

SÌ, SIGNORE!

UN MOMEN- TO, PRE- GO!

OPERAIO SPECIALIZ- ZATO RIPARAZIONI A DOMICILIO

Testo di Dick Kinney - Disegni di Al Hubbard

SIETE LICENZIATO!

SÌ, SIGNORE!

MA CHE MI STAI COMBINANDO, CUGINO? QUELLO ERA L'OPERAIO!

NON RICORDI LA COLLERA CHE T'HA FATTO PRENDERE L'ULTIMA VOLTA? TI È DURATA UN ANNO INTERO!

LA COLLERA È STATA MIA, SE MAI! CHE C'ENTRI TU?

IL PROVERBIO DICE "CHI FA DA SE'..." INTERESSANTE, NON È VERO?

NIENTE AFFATTO! E ME NE VADO VIA!

NON PENSI A TUTTI I SOLDI RISPARMIATI ED ALLA SODDISFAZIONE DI FARE DA TE STESSO IL LAVORO?

FORSE NON HA TUTTI I TORTI!

E COSÌ...

PRONTO? SÌ, MANDATE SUBITO UNA CASSETTA DI ATTREZZI DA LAVORO A CASA DI PAPERINO!

SPERIAMO CHE QUESTA VOLTA L'IMBROCCHI GIUSTA!

IL PADRONE NON IMPARERÀ PROPRIO MAI A STARE AL MONDO?!

ORA CHE POTREMO FARE, MENTRE SI ASPETTA GLI ATTREZZI?

ZIO, IL TELEVISORE NON FUNZIONA!

VEDIAMO DI CHE SI TRATTA, PAPERINO! QUESTO SARÀ IL NOSTRO PRIMO LAVORO! PRENDO I FERRI!

EHM! QUESTA È BELLA! CHISSÀ COSA COMBINERÒ!

BE'! TENTIAMO!

ECCOTI I FERRI!

OH! OH! AVREI FATTO MEGLIO A NON INNESTARLA!

MA, ANDIAMO! STAI PIÙ ATTENTO!

MIAU! MIAU! MIAU!

CHE COSA SARÀ STATO?

È SEMPLICE! NON AVEVI TOLTO LA PRESA DI CORRENTE!

OH! CHE SCIOCCO SONO STATO!

NON TE LA PRENDERE! BASTERÀ CHE TU VENDA IL TELEVISORE FOLGORATO!

GIÀ! GRAN BEL SUCCESSO HO OTTENUTO!

FORSE NON AVEVI IN MENTE UN PROGETTO SIMILE, ECCO TUTTO! IO POSSO SISTEMARE, ADESSO, IL RUBINETTO CHE PERDE ACQUA!

GIRA LA CHIAVE IN SENSO CONTRARIO!

VEDI? QUESTO È UN CONTRATTEMPO IMPREVISTO!

PERÒ, CON UNA PATATA SISTEMERÒ LA FACCENDA!

SONO PROPRIO UN GENIO!

EHI!

TUONI E SAETTE! NE HO ABBASTANZA DI QUESTO "FAR DA SOLO"!! E NE HO ABBASTANZA ANCHE DI PAPEROGA!

TUTTO A POSTO, CARO PAPERINO! IL RUBINETTO NON GOCCIOLA PIÙ!

E SEI SODDISFATTO?! COME HAI POTUTO FERMARE IL GETTO D'ACQUA?

OH! SEMPLICISSIMO! MI SONO SERVITO DI UNA PATATA!

QUALCUNO HA ORDINATO UNA CASSA DI ATTREZZI DA LAVORO?

S...SÌ, IO!

ECCO! QUEST'ULTIMO LAVORETTO LO FACCIO DA SOLO E CON GRAN PIACERE!

AH! AH! AH!

fine

PAPERINO e la RICERCA PALEONTOLOGICA

Walt Disney

MUSEO PALEONTOLOGICO

VISITARE IL MUSEO **PALEONTOLOGICO** ARRICCHIRÀ IL VOSTRO BAGAGLIO CULTURALE, RAGAZZI!

CI AGGREGHIAMO ALLA **GUIDA**, ZIO PAPERINO?

POTETE AMMIRARE UN RARO ESEMPLARE DI... BLA, BLA, BLA...

BOF! POSSO DARVI **IO** TUTTE LE SPIEGAZIONI NECESSARIE!

UH? CHE COSA NE SAI TU DI **PALEONTOLOGIA**?

TUTTO! HO LETTO PER BEN TRE VOLTE IL **MANUALE DEL PALEONTOLOGO**, DEL PROFESSOR **J. URASSIK!**

EH! EH! NON SI DIVENTA PALEONTOLOGI LEGGENDO UN SOLO LIBRO!

SGRUNT!

PICCOLI OSSI

E' UNA PROVOCAZIONE? SE MI CI METTESSI, POTREI TROVARE **CAMIONATE DI REPERTI!**

AH! AH! AH!

120

OKAY, **ZIO PALEONTOLOGO**! SIAMO CURIOSI DI VEDERTI AL LAVORO!

EHM... BENE!

MEOW?

GULP! FORSE HO UN PO' ESAGERATO! ADESSO, CHE COSA FACCIO?

MUMBLE... SE MI TIRO INDIETRO, PERDO LA FACCIA CON I NIPOTINI!

HO LETTO SUL MANUALE CHE PAPEROPOLI È RICCA DI **FOSSILI**! CHISSÀ, MAGARI NE TROVO **QUALCUNO**!

DOVE PENSI DI COMINCIARE LE **RICERCHE**?

EHM... MI FARÒ GUIDARE DAL MIO **ISTINTO** DI PALEONTOLOGO!

IL PROFESSOR J. URASSIK HA TROVATO IL SUO PRIMO FOSSILE IN UN VECCHIO **SEMINTERRATO**!

COMINCERO' DA LA' DENTRO!

IL MIO **INTUITO** MI DICE CHE QUESTO E' IL POSTO BUONO!

SI'...PER ALLEVARE RAGNI!

POSSIAMO AIUTARTI, ZIO?

NO! SONO **IO** L'ESPERTO!

UMPF! QUANTE ARIE!

VEDIAMO SOTTO QUESTE ASSI...

POCO DOPO...

YU - UUUUH !!

GASP!

HO TROVATO UN'**IMPRONTA** PREISTORICA!

MA... E' UN'IMPRONTA DI UNA **SCARPA!**

I **CAVERNICOLI** NON LE PORTAVANO!

EHM... NON E' DETTO CHE SIA DI UN **UOMO!**

ASSOMIGLIA ALL'IMPRONTA DI UNA SCARPA! IN REALTA', APPARTIENE A UNA **CREATURA** FINORA SCONOSCIUTA!

DATE LE DIMENSIONI, DEDUCO CHE DEVE ESSERE STATA LASCIATA DA UN **GROSSO ANIMALE!**

?

ANIMALE SARAI TU!

SGUEK!

TRUMB!

AHI!

SBONK

L'IMPRONTA E' **MIA**! HO STESO UNA COLATA DI CEMENTO PER RIFARE IL PAVIMENTO...

GLIPS!

UHM...

IH! IH! HAI COMINCIATO CON IL **PIEDE SBAGLIATO**, ZIO PAPERINO!

SGRUNT! SPIRITOSI!

EHI! QUI STANNO FACENDO DEI LAVORI!

CANTIERE LAVORI IN CORSO

GLI **SCAVI** POTREBBERO PORTARE ALLA LUCE QUALCHE **REPERTO**!

ATTENTO, ZIO! IL TERRENO E' SDRUCCIOLEVOLE!

ZUT! SO BENE QUELLO CHE FACCIO...

AAAARGH!

GASP!

GULP!

TUTTO OKAY, ZIO PAPERINO?

URGH...SICURO! MI SONO **CALATO** APPOSTA PER UN ESAME PIU' **APPROFONDITO**!

126

YU-UUUH!

HAI TROVATO UN'ALTRA IMPRONTA DI SCARPA?

SCETTICONI! QUESTA VOLTA, CI SIAMO!

STRABILIATE! IL DENTE DI UN DINOSAURO!

ULP!

AVRÒ FAMA E PRESTIGIO MONDIALI! ALTRO CHE PROFESSOR J. URASSIK!

BRAVISSIMO!

VISTO? LA NOTIZIA SI STA GIÀ DIFFONDENDO!

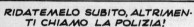

E COSÌ...

129

COMINCIO A SCAVARE! QUESTA VOLTA, **CI SIAMO!**

EH! EH! L'HA DETTO ANCHE PRIMA!

SCAV SCAN SCAN RASP

PANT! PANT! NON CREDEVO CHE FOSSE COSÌ **FATICOSO** FARE IL **PALEONTOLOGO!**

QUI NON C'È NIENTE, ZIO PAPERINO!

ZITTI! IL MIO **INTUITO** NON **SBAGLIA** (QUASI) MAI!

SCAV

UHM...

YU-UUUH!

E CON QUESTO FANNO **TRE**!

HO TROVATO L'OSSO DI UN **ANIMALE PREISTORICO**!

UHM...FORSE E' DI UN **PTERODATTILOGRAFO**!

EH! EH! UN **PTERODATTILO**, VORRAI DIRE!

EHM...APPUNTO! VOLEVO METTERVI ALLA PROVA!

GULP! INVECE, **APPARTIENE** A UN ANIMALE MOLTO PIU' RECENTE!

BAU BAU!

MOLLA L'OSSO, ZIO PAPERINO!

AAAHH!

LA PALEONTOLO-
GIA NON FA PER
TE, ZIO!

DACCI RETTA,
LASCIA PER-
DERE!

CIP
CIP

NO! ORMAI E' UNA **QUESTIONE
DI PRINCIPIO!**

ZOMP

NON E' COLPA MIA, MA
DELLA **CITTA'!** NON E' L'AM-
BIENTE GIUSTO PER LE
RICERCHE!

SEGUIRO' L'ESEMPIO DEL PRO-
FESSOR J. URASSIK! I PIU' IMPOR-
TANTI RITROVAMENTI LUI LI
HA FATTI...

...NEL
BOSCO!

QUESTA VOLTA, FA- RO' CENTRO!

ZIP

SPLASH

CROAK!

UACK! HO CENTRATO LA CON- DUTTURA DELL'ACQUA!

CI PENSERANNO GLI OPE- RAI DELL'ACQUEDOTTO A CHIUDERE LA FALLA! NON PREOCCUPARTI!

OH, GRAZIE!

PREOCCUPATI, INVECE, DELLA MUL- TA DA RECORD CHE DOVRAI PA- GARE!

GLOM!

POCO DOPO...

CHISSA', MAGARI IN QUEL- LA CAVERNA...

?

SIII'! PITTURE RUPESTRI!

SAPEVO CHE PRIMA O POI IL MIO INTUITO DA PALEONTOLOGO MI AVREBBE GUIDATO VERSO UN'IMPORTANTE SCOPERTA!

COME MAI NESSUNO LI HA MAI NOTATI PRIMA D'ORA?

PER QUESTE COSE, CI VUOLE L'OCCHIO DI UN ESPERTO!

UAO! UN'ALTRA ECCEZIONALE SCOPERTA!

OLTRE ALLE CLAVE, I TROGLODITI USAVANO I BASTONI DA PASSEGGIO!

TROGLODITA SARAI TU! RIDAMMI IL MIO BASTONE!

URGH!

L'AVEVO APPOGGIATO ALLA PARETE MENTRE FACEVO UN PISOLINO PIU' IN LA'!

STO VISITANDO LA CAVERNA CON I MIEI NIPOTINI!

ECCO GLI AUTORI DEI DISEGNI RUPESTRI!

SIGH, SIGH, SIGH E... SIGH! MI ARRENDO!

VOLEVO DIVENTARE FAMOSO, INVECE...

MA VOI **DIVENTERETE FAMOSO!**

SGURGLE! IL PROFESSOR J. URASSIK?

VI HO TENUTO D'OCCHIO FIN DAL MUSEO HO SEGUITO TUTTE LE VOSTRE... EHM...**IMPRESE!**

AH, SÌ?

EH! EH! NON HO AVUTO FORTUNA, PERÒ...

TUT-TUT!

VI HO DETTO CHE DIVENTERETE **FAMOSO** E LO CONFERMO!

SARETE OSPITE DEL MIO PROGRAMMA TV SULLA PALEONTOLOGIA! DIVENTERETE UN **ESEMPIO!**

YU-UUUH!

137

CHE VI DICEVO? FINALMENTE LE MIE **GRANDI CAPACITÀ** AVRANNO IL GIUSTO RICONOSCIMENTO!

E COSÌ...

ALLA FINE, LO ZIO PAPERINO CE L'HA FATTA! È **OSPITE D'ONORE** AL PROGRAMMA SULLA PALEONTOLOGIA...

IL SIGNOR PAPERINO È IL **PERFETTO ESEMPIO** DI TUTTO CIÒ CHE UN PALEONTOLOGO **NON DEVE FARE!** BLA, BLA, BLA...

SNORT!

...MA NON CERTO COME PENSAVA LUI! EH! EH!

FINE

138

Testo di Rodolfo Cimino - Disegni di Giorgio Bordini

TI PRESENTO IL BIGLIETTO VINCENTE, ZIO!

NON CREDO NELLE LOTTERIE, LO SAPETE!

TI OFFRIAMO L'OPPORTUNITÀ DI RAVVEDERTI!!

140

*P*OCO DOPO...

FIRULI`! FIRULÀ! SOTTO A CHI TOCCA! CE N'É PER TUTTI, RAGAZZI MIEI!

CHE E` SUCCESSO, ZIO?

FESTEGGIAMO LA... **NOSTRA** VITTORIA CARUCCI!

SIAMO STATI PROPRIO FORTUNATI!

n. 333

NON PUOI DIRE **SIAMO**, ZIO! TU **NON** SEI DELLA PARTITA!

CO-CO-COME SAREBBE A DIRE?

CHE IL BIGLIETTO E` NOSTRO! E LA VINCITA PURE!

BEN DETTO!

VE NE PENTIRETE! SONO VOSTRO ZIO!

PROPRIO LO STES-SO CHE SI E` RIFIU-TATO DI VERSARE IL CONTRIBUTO!

NON AVRETE IL BIGLIETTO! NON SIETE MATURI PER DISPORRE DI UNA SIMILE SOMMA!

PER TUTTI I CARATI! QUI SI PARLA DI DENARO!

PARENTELA E (SNIFF! SNIFF!) FRITTELLE RECLAMANO IL MIO INTERVENTO!

RINNNÓ

E COSÍ...

VOSTRO ZIO NON HA TUTTI I TORTI! SIETE GIOVANI E IL DENARO VA SAGGIAMENTE AMMINISTRATO!

SAREBBE MEGLIO PER TUTTI SE TENESSI IO LA SOMMA; TUTTAVIA, POICHÈ IL **TEMPO DELLA RAGIONE** NON È ANCORA DI QUESTO MONDO...

...PROPONGO UNA **PROVA DI MATURITÀ** DA PARTE VOSTRA!

SIAMO PRONTI, ZIO!

LA PROVA SARÀ LUNGHETTA, NIPOTI! SOLO IL TEMPO FA **MATURARE** LA FRUTTA SANA!

QUESTI SONO TRE BEI DOLLARO-NI D'ARGENTO, UNO PER CIASCUNO DI VOI!

COSA DOBBIA-MO FARNE?

NIENTE, DOVETE FARNE, NIPOTI! LA PROVA CONSI-STE PROPRIO NELLA VERIFI-CA DELLA VOSTRA CAPACITA' DI RISPARMIO!

SE TRA UN MESE AVRE-TE ANCORA I VOSTRI DOLLARONI, VI RESTI-TUIRO' IL BIGLIETTO, E POTRETE GODERNE L'APPANNAGGIO!

UN MESE, EH?

UN MESE E' LUNGO E LE TENTAZIONI SONO TANTE!

PENSERO' IO A FAR SPENDERE QUEI DOL-LARI AI TRISTANZUOLI! IL BIGLIETTO TORNE-RA' NELLE MIE MANI!

143

PER PRIMA COSA, NASCONDERO' FRITTELLE E FRITTELLONI IN MODO CHE **PALATI INDEGNI** NON POSSANO ACCEDERVI!

UNA SANA E...VARIA DIETA DI FAGIOLI SARA' LA BASE E IL TETTO DELLA FUTURA ALIMENTAZIONE DI CASA PAPERINO!

*Q*UALCHE GIORNO DOPO...

ANCORA FAGIOLI!

SANI ED ECONOMICI, RAGAZZI!

DOVETE FARE ECONOMIA E IO INTENDO FAVORIRVI CON UN CLIMA DI ADEGUATA AUSTERITA'!

GRUNT!

ANDIAMO DA NONNA PAPERA!

LEI HA PIU' FANTASIA IN CUCINA!

PRONTO, NONNA PAPERA? SI, I NIPOTINI STANNO ARRIVANDO! PREPARAGLI UNA BELLA MARMITTA DI FAGIOLI! NE VANNO MATTI!

I TRE CATTIVELLI DILAPI-
DERANNO LE SOSTANZE
IN PANINI IMBOTTITI, MA,
NEL CASO RESISTANO,
TENDERÒ LORO UN'AL-
TRA TRAPPOLA!

MAI MENDICO PIÙ MENDI-
CO SI È AGGIRATO IN QUEL
DI PAPEROPOLI! MI FAREI
L'ELEMOSINA DA SOLO!

ECCOLI! SPERO CHE SIANO PIÙ GENEROSI
CON ME CHE CON...IL LORO ZIO!

SONO TRE GIORNI CHE NON INGOL-
LO, FIGLIUOLI! NON AVRESTE UN TAL-
LERO PER TOGLIERE LE RAGNATELE
DALLE MIE FAUCI?

DAVVERO NON
MANGIATE DA TAN-
TO TEMPO?

DA PRIMA, CARUCCIO!
DA PRIMA ANCORA!

LA FACCENDA
È SERIA!

COSA FACCIAMO?

DIAMOGLI LA MARMITTA DI FAGIOLI CHE CI HA PREPARATO NONNA PAPERA!

TENETE! CI SONO LEGUMI A SUFFICIENZA PER... CINQUE PIENI!

GULP!

LO ZIO PAPERINO NON SI ARRABBIERA'!

MAI AZIONE E' STATA PIU' MERITORIA!

IL GRAN CAPO CI ELOGERA'!

GRRRR!

I MARIUOLI HANNO SALTATO L'OSTACOLO! IL TEMPO PASSA E QUEI DOLLARI SONO ANCORA NEL FODERO!

IDEA! IL **DEMONE DEL GIUOCO** SARA' IL MIO NUOVO, POTENTE ALLEATO!

GIO' CATACLISMA MI AIUTERA'!

VORRESTI IMPARARE IL TRUCCO DELLE **TRE CARTE**, EH?

VO-GLIO PRENDER MI GIOCO DI TRE SAPUTELLI!

FATTO?

FATTO! L'ASSO E' A DESTRA!

TI HO DETTO E RIPETU-TO CHE L'ASSO DEVE **RESTARE NELLA MANICA**!

GULP! FAMMI RIPROVARE!

TEMPO DOPO... QUESTA E' LA MILIO-NESIMA VOLTA CHE PROVI! ANCHE UNA TALPA AVREBBE IMPARATO!

STAVOLTA ANDRA' BENE!

LE CARTE SONO DISPO-STE BENE, MA I TUOI MOVIMENTI SONO ANCORA TROPPO LENTI!

NON RIUSCIRAI MAI A INGANNARE UN PROFESSIONISTA!

TI HO DETTO CHE VOGLIO SOLO PRENDERMI GIOCO DEGLI AMICI!

VOILÀ! COME È ANDATA STAVOLTA?

PEGGIO DI MALE! RITENTA!

VERSO SERA...

RICORDATI DI MUOVERE IL POLSO VELOCEMENTE!

NON DUBITARE!

I RAGAZZI DOVREBBERO ESSERE GIÀ QUI! IL DOPOSCUOLA È FINITO DA UN PEZZO!

FARÒ EMIGRARE I TRE DOLLARI NELLE MIE TASCHE!

MA... BRAVO, PAPERO!

AVEVAMO GIUSTO VOGLIA DI PERDERE QUALCHE SOLDO!

GU...GULP!

PIÙ TARDI...

SFACCIATI! NON SI LASCIA-NO METTERE NEL SACCO!

NON LI HO PRESI CON LA FAME, LI PRENDERÒ **PER SETE!**

ARTICOLO PRIMO: PREPARARE E FAVO-RIRE **L'ASSETAMEN-TO** DELL'AVVER-SARIO!

ARTICOLO SECONDO: INDIRIZ-ZARLO CONVENIENTEMENTE ALLE **FONTI A PAGAMEN-TO!**

50¢

ARTICOLO TERZO: BLOCCARE OGNI E QUALSIASI FONTE DI APPROVVIGIONAMENTO GRATUITO!

BE'? NON TI PIACE LA ZUPPA?

ZUPPA? QUESTO E'... SALE IN UMIDO!

SPLUT

151

EHM...EFFETTIVAMENTE DEVO AVER MESSO **UNA PRESINA** DI SALE DI TROPPO!

DÌ PURE **UNA BADILATA**, ZIO!

SE NON TRACANNO DUE ETTOLITRI D'ACQUA, MI SI BLOCCA LA CIRCOLAZIONE!

DOLENTE, MA TUTTI I RUBINETTI DI CASA SONO IN AVARIA!

CHE?

BERRETE ALLA FONTANELLA DELLA SCUOLA! LE LEZIONI POMERIDIANE STANNO PER COMINCIARE!

MORIREMO PRIMA DI ARRIVARCI!

I FRUGOLETTI SONO PARTITI! CORRONO I TAPINI, MA SO BEN IO COME TAGLIARGLI LA STRADA!

50 ¢

VIAAAAAA!

POCO DOPO... VORREI PROPRIO CHE LA SCUOLA FOSSE PIU' VICINA!

PENSARE CHE FINO A IERI LA CONSIDERAVAMO PERICOLOSAMENTE A **RIDOSSO** DELLA NOSTRA LIBERTÀ!

UN BIBITARO!

E' IL DESTINO CHE LO MANDA!

?

IN FILA, RAGAZZI! IN FILA E... SOLDI ALLA MANO!

ALLUNGA, ALLUNGA!

ALLUNGA COSA? NON SAPETE CHE IL SINDACO HA VIETATO IL COMMERCIO AMBULANTE DI BIBITE?

GU...GULP!

IL CO...COMMERCIO?

PROPRIO COSI', PAPERO!

MA IO NON COMMERCIAVO AFFATTO! IL COMMERCIO PRESUPPONE LO SCAMBIO DI PRODOTTI CON DENARO! IO HO REGALATO LA LIMONATA! RIPRENDITI LA MONETA, RAGAZZO!

ARRIVEDERCI A TUTTI!

AHI!

FRIIIII

NON MI HAI CONVINTO! TI PORTERO' AL COMANDO!

ADDIO, RAGAZZI! VENITE A VISITARMI QUALCHE VOLTA!

ROAR

PER TUTTI I BIBITARI!

E' LO ZIO PAPERINO!

ROARR

50¢

HA TENTATO DI GIOCARCI ED E' RIMASTO GIOCATO!

FINIRA' IN GUARDINA!

DOBBIAMO AIUTARLO!

POCO DOPO...

DAVVERO! LO ZIO STAVA SCHERZANDO!

LIBERATELO!

VI CREDO, RAGAZZI! MA DOVRETE SBORSARE TRE DOLLARI DI CAUZIONE PER RIAVERE VOSTRO ZIO!

TRE DOLLARI?

IL NOSTRO CAPITALE!

ECCO L'EQUIVALENTE... DELLA LIBERTA'!

155

INTANTO...

TO', I NIPOTINI ALLE PRESE CON LA GIUSTIZIA!

POLIZIA

CHE AVETE COMBINATO?

NOI NIENTE, ZIO! E' LO ZIO PAPERINO CHE STA... **USCENDO** DAI GUAI!

HA TENTATO DI SOFFIARCI I TRE DOLLARI E SI E' IMPEGOLATO!

ABBIAMO PAGATO ORA LA CAUZIONE!

NOBILE GESTO, NIPOTI, NOBILE E AVVENTATO!

AVVENTATO? PERCHE'?

PERCHE' AVETE **SPESO** I TRE DOLLARI CHE AVRESTE DOVUTO CONSERVARE FINO ALLA FINE DEL MESE!

GULP!

GLI AFFARI NON VANNO D'ACCORDO CON IL SENTIMENTALISMO, RICORDATELO!

POLIZIA

POLIZIA

TIENI! IL BIGLIETTO, A TERMINE DI REGOLAMENTO E SEBBENE NON LO MERITI, E' TUTTO TUO!

QUALCHE GIORNO DOPO...

VI VEDO IN PIENA FORMA! LA DISAVVENTURA NON VI HA TOLTO IL BUON UMORE, EH?

QUALE DISAVVENTURA?

GLI AFFARI NON VANNO D'ACCORDO CON IL SENTIMENTALISMO, E' VERO, MA NOI NON SIAMO GROSSI FINANZIERI, SIAMO SOLO GIOVANI MARMOTTE!

IL CAPO E' VENUTO A CONOSCENZA DI TUTTA LA FACCENDA E CI HA DECORATO SUL CAMPO!

INOLTRE LO ZIO PAPERINO HA DIVISO EQUAMENTE IL PECULIO!

COME RISULTATO DI UNA...DEBOLEZZA, NON C'E' MALE DAVVERO!

FINE

E NON PUO' ESSERE DIVERSAMENTE, CON UN SUPEREROE COME PAPERINIK!

A TERRA, LAMPO! A TERRA SAETTA!

CHE RENNE FANTASTICHE, SEMBRANO VERE!

LO CREDO, SONO OPERA DI ARCHIMEDE!

AI VOSTRI POSTI, RAGAZZI! QUEST'ANNO BABBO NATALE VI DISTRIBUIRA I REGALI IN MODO SPECIALE!

OPLA'! CONSEGNA RAPIDA!

UAO!

LA BAMBOLA CHE DESIDE-RAVO!

IL ROBOT DEL-LA SERIE **TV**!

EH! EH! LA PISTOLA A **RAGGI ANTIGRAVITAZIO-NALI** NON FINISCE MAI DI STUPIRE... ANCHE **ME**!

E' STATA UNA BELL'IDEA DARE A PAPERINIK IL RUOLO DI BABBO NATALE, SIGNOR SINDACO!

GIA`, SONO CONVINTO CHE I RAGAZ-ZI SI RICORDERANNO PER ANNI DI QUESTO MOMENTO!

POTETE BEN DIRLO, PAPERINIK E' IL LORO IDOLO!

MAGARI AVESSI ME-TA` DELLA SUA POPOLARITA`!

ORA DEVO ANDARE, MA LA FESTA NON FINISCE QUI ...

...CI SONO ALTRI **REGALI** E **LECCORNIE** PER TUTTI!

ARRIVEDERCI E GRAZIE... EHM... BABBO NATALE!

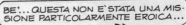

BE'... QUESTA NON E' STATA UNA MISSIONE PARTICOLARMENTE EROICA...

...MA E' STATA UGUALMENTE IMPORTANTE!

E ORA, A CASA! TAGLIANDO PER IL PARCO, FARO' PRIMA!

IN QUESTI GIORNI, DEVO AVERE ESAGERATO CON LE RONDE NOTTURNE E... YAWN... CASCO DAL SONNO!

ALMENO ALLA VIGILIA DI NATALE, VOGLIO CONCEDERMI UN PO' DI RIPOSO!

TANTO, COSA MAI PUO' SUCCEDERE IN UNA NOTTE COME QUEST...

...AAAH!

FZZZT

AIUTO! GLI EXTRATERRE-STRI MI RAPI-SCONO!

TUMP

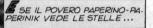

E SE IL POVERO PAPERINO-PA-PERINIK VEDE LE STELLE...

...LO STESSO DICASI PER COLORO CHE CON-DUCONO L'ASTRONAVE...

...CHE, SUPERATA LA VIA LATTEA A **VELOCITÀ SPAZIO TEMPORALE,** SI DI-RIGE VERSO UN PICCOLO PIANETA DI UN'IGNOTA GALASSIA!

ULP!

BUM

SCUSACI, BABBO NA-TALE! FORSE, ABBIA-MO ESAGERATO CON I FESTEGGIAMENTI!

LO PENSO ANCH'IO!

TUTTA COL-PA TUA, BUMP!

BIP

OLTRETUTTO AVETE AN-CHE PRESO UN ABBA-GLIO, PERCHE' IO NON SONO...

TU NON SEI...

UN MOMENTO...SI DIREBBE GENTE PACIFICA, MA CHI MI ASSICURA CHE NON MUTEREBBERO ATTEGGIAMENTO SE DICESSI LORO LA VERITA'?

FORSE E' MEGLIO MANTENE-RE L'EQUI-VOCO!

EHM...NON SONO UN BERSAGLIO!

165

AH! AH! CHE BABBO NATALE SPIRITOSO! BENVENUTO SUL PIANETA BIP!

PAF

NONO PIANETA DELLA COSTELLAZIONE BOP...

...QUINTO A SINISTRA DELLA GALASSIA BUP!

BOP

GNAC

NON SI **SUONA** IL BECCO DI BABBO NATALE!

BECCO? ORA CHE CI PENSO, IL COMPUTER AVEVA FORNITO DATI DIVERSI!

SNAP

VRRF

FOLTA BARBA BIANCA E... SOPRATTUTTO MAGGIOR **STAZZA**!

EHM... LA BARBA L'HO TAGLIATA PER RINGIOVANIRE D'ASPETTO!

VISTO COME SI FA A FAR SUONARE I TERRESTRI?

BIP

E PER LO STESSO MOTIVO HO FATTO UNA **CURA DIMAGRANTE!**

ADESSO, PERÒ, QUALCUNO VUOLE SPIEGARMI PERCHÉ SONO STATO PRELEVATO E CONDOTTO FIN QUI?

TI ACCONTENTO SUBITO!

VEDI, BABBO NATALE, ABBIAMO ASSOLUTAMENTE BISOGNO DELLA TUA **MAGIA** NATALIZIA!

BE'... ALLORA MI DISPIACE, MA ME NE POSSO ANDARE! LA MIA MAGIA FUNZIONA SOLO SULLA TERRA!

SE AVETE LA COMPIACENZA DI RIPORTARMI A CASA... AUTO COMPRESA, OVVIAMENTE!

BOOOH! ERI LA NOSTRA ULTIMA SPERANZA DI FAR PASSARE UN LIETO NATALE AI NOSTRI BAMBINI!

167

E ORA, COME FAREMO?

BROOP

BABBO SPAZIALE, PRATICAMENTE IL BABBO NATALE DEL NOSTRO PIANETA, È STATO RAPITO UNA SETTIMANA FA...

COSÌ NOI PENSAVAMO CHE TU AVRESTI POTUTO PRENDERE IL SUO POSTO PORTANDO I DONI AI NOSTRI RAGAZZI E SALVANDO LORO IL NATALE!

SÌ, NEGLI SCORSI ANNI BABBO SPAZIALE ERA STATO UN PO' **CRITICATO**, PERCHÈ PORTAVA SEMPRE I SOLITI REGALI...

...MA COME SI PUÒ, COMUNQUE, PENSARE A UN NATALE SENZA DI LUI?

SARÀ IL NATALE PIÙ TRISTE!

PAPERINIK, NON PUOI ABBANDONARLI COSÌ!

NON SONO BABBO NATALE, E' VERO, MA SONO PUR SEMPRE IL MIGLIOR ACCHIAPPA-FURFANTI DELLA MIA GALASSIA! E POTREI ESSER-LO ANCHE DI QUESTA!

CORAGGIO! IO NON POSSO SOSTITUIRE BABBO SPAZIALE, MA VI PROMETTO CHE FARO' DI TUT-TO PER LI-BERARLO!

POCO DOPO, NELLA REG-GIA DI SUA MAESTA' *BIBOP III* ...

"COSI' BABBO SPAZIALE IMPARERA' A DI-MENTICARSI DI ME! E ANCHE GLI ALTRI BAMBINI IMPARERANNO COSA VUOL DIRE UN NATALE SENZA DONI!"

LA LETTERA DEL RAPITORE FINISCE QUI, NATURALMENTE SENZA FIRMA!

UHM...SIETE SICURO CHE NON SI TRATTI DI UNO SCHERZO?

LO ESCLUDEREI! PUNTALMENTE, TRE GIORNI PRIMA DI NATALE, BABBO SPAZIALE MI INVIA UNA CARTOLINA!

POSSO TENERLA? PUÒ SERVIRE NELLA RICERCA!

AUGURI ALL'AMATO SOVRANO DEL PIANETA! Babbo Spaziale

FAI PURE, TANTO È DELL'ANNO SCORSO... QUEST'ANNO NON HO ANCORA RICEVUTO NIENTE!

E QUESTO SUONEREBBE COME TRISTE CONFERMA CHE BABBO SPAZIALE È SPARITO!

GIÀ, SUONEREBBE PROPRIO COSÌ!

BIP!

VOGLIO CONOSCERE A CHE PUNTO SONO LE INDAGINI DELLA POLIZIA!

CHIAMATE IL GRAN COMMISSARIO DELLA SPAZIALPOL!

BIP

BOP

BUUP

POCO DOPO...

INDAGINI? AVETE DETTO INDAGINI? CHE POSSA CROLLARE SUL PAVIMENTO...

...SE RAMMENTO IL SIGNIFICATO DI QUESTA PAROLA!

ORA, RICORDO... QUEL TITOLONE SUL GIORNALE... "INDAGINE SULLA MELA RUBATA!"

BIP

L'ULTIMO GRANDE FURTO SUL NOSTRO PIANETA!

VOI, MAESTÀ, L'AVETE STUDIATO SUI LIBRI DI STORIA, MA IO RICORDO ANCORA BENISSIMO QUEL GIORNO!

ANCHE PERCHÉ QUEL MATTINO TROVAI LA FIGURINA MANCANTE PER COMPLETARE L'ALBUM SULLE ASTRONAVI DA CORSA!

UN MOMENTO...

...VOLETE DIRE CHE DA DECENNI SUL VOSTRO PIANETA **NON C'E' OM-BRA DI MALVIVENTE?**

GIA', L'ULTIMO CASO DI RAPIMENTO RISALE A UN PAIO DI SECOLI FA!

ORA CAPISCI PERCHE' LA NOSTRA POLIZIA NON HA MOLTA DIMESTICHEZZA CON QUESTE COSE!

AIUTA AD ATTRAVERSARE LE **SPAZIO-STRADE** A BIMBI E VECCHIETTI!

MULTA CHI SPORCA PER TERRA...

...O FA RUMORI MOLESTI!

BIP

IN SOSTANZA, ALLORA, NON SAPETE NULLA SUL RAPIMENTO DI BABBO SPAZIALE!

NON SIATE IMPULSIVO, GIOVANOTTO! PRIMA INTERROGO IL MIO **POLI-COMPUTER** TASCABILE!

BIP BIP

RISPOSTA CHIARA E... **UNIVERSALE**, DIREI!

BOH!

QUANDO SI BRANCOLA NEL BUIO, E' ORA CHE PAPERINIK FACCIA LUCE!

DATEMI LA LETTERA, MAESTA'!

IL MIO **ANALIZZATORE TASCABILE** VERIFICHERA' SE E' RIMASTA QUALCHE TRACCIA DEL RAPITORE!

UHM... ECCO UN DATO INTERESSANTE! PARTICELLE DI **SABBIA MARINA** E **ROCCIA LAVICA**!

SI DIREBBE CHE LA LETTERA PROVENGA DA UNA **ISOLA VULCANICA**!

POTREBBE ESSERE L'**ISOLA DI SBUFF**, OTTIMO NASCONDIGLIO PER UN RAPITORE!

GIA'! NON E' LONTANA, ANCHE SE TUTTI SE NE TENGONO ALLA LARGA!

IO CI ANDRO', INVECE!

SE L'ISOLA E' QUELLA GIUSTA, VI RIPORTERO' BABBO SPAZIALE AL PIU' PRESTO, PAROLA DI PAP... **EHM**... PAROLA MIA!

ASPETTA! LA SPAZIALPOL TI SOSTERRA' NELL'IMPRESA!

ARRIVO!

E CHI **SOSTERRA'** LA SPAZIALPOL?

VI RINGRAZIO, MA E' MEGLIO NON PRESENTARSI **IN FORZE** ALL'ISOLA! METTEREMMO SOLO IN GUARDIA IL RAPITORE ...

... E BABBO SPAZIALE SAREBBE IL PRIMO A FARNE LE SPESE! AGENDO DA SOLO, AVRO' PIU' POSSIBILITA' DI PASSARE INOSSERVATO!

E VA BENE, MA ALMENO ACCETTA DI FARTI ACCOMPAGNARE DAI MIEI DUE CONSIGLIERI **BOMP** E **BUMP**!

E COSÌ... ECCO, QUELLO È L'ISOLOTTO DI SBUFF!

BENE! ORA, PRIMA CHE QUALCUNO POSSA SCORGERCI...

...PROCEDIAMO A CAMUFFARCI!

PFFT

L'EFFETTO NUVOLA IDEATO DA ARCHIMEDE È L'IDEALE PER VIAGGIARE INOSSERVATI!

MA NOI COME FACCIAMO A VEDERE DOVE ANDIAMO?

SEMPLICE, CON QUESTI SPECIALI OCCHIALI...

...CHE MI SERVONO ANCHE A CONTROLLARE SE L'ISOLOTTO È ABITATO!

175

UHM... PARE CHE NON CI SIA NESSU-NO, MA E' MEGLIO SCENDERE A TERRA...

...E CONTROL-LARE PIU' DA VICINO!

CHE SPIAGGIA DA FAVOLA! NON CA-PISCO PERCHE' I **BIPIANI** DISERTINO L'ISOLA!

SI NARRA CHE LA NATURA SIA OSTILE!

BIK

OSTILE? SEM-BRA UN **PARADI-SO** TURISTICO PER VIP!

EHI! CHE COSA SUCCEDE?

177

RIDI, RIDI, CHE IL RISO FA BUON SANGUE...

...E LA PAURA FA NOVANTA... ALL'ORA!

PUFF... PUFF... E QUEI DUE DOVE SONO FINITI?

QUASSÙ!

IL PIÙ LONTANO POSSI- BILE DAI MO- STRI MARINI!

DAI, VENITE GIÙ! IL PERICOLO E' PASSATO!

CHE GENTILE, QUE- STA PIANTA! CI AIU- TA ANCHE A SCEN- DERE!

A DOPO, I LITIGI! NA-SCONDETEVI PIUTTOSTO IN QUELLA GROTTA!

INTANTO, IO CERCHERÒ DI ATTIRARE L'AT-TENZIONE DEL SERPENTONE SU DI ME!

TRUMBLE

BOING

BOING

BOING

ACCHIAP-PAMI! SU, BELLO... ORA SONO QUI... ORA LÀ...

E PARECCHI SALTEL-LI DOPO...

MAI RINCORRERE UNO CON GLI STIVALETTI A MOLLA O, MINIMO, TI BUSCHI UN TORCICOL-LO!

PUFF... PUFF!

BABBO NATALE, VIENI, PRESTO!

IN QUALE ALTRO GUAIO SI SARANNO CAC-CIATI?

CI SONO **ORME** CHE CONDUCONO VERSO QUEL CUNICOLO!

QUESTO SIGNIFICA CHE L'ISO-LA E' ABITATA! E CREDO ANCHE DI SAPERE DA CHI!

OCCHI APERTI... SENTO CHE IL **RAPITORE** NON E' LONTANO!

ULP! GNOMI-ROBOT, GIOCATTOLI ELETTRONICI... MA QUESTA SI DIREBBE PROPRIO...

GIÀ... LA BOTTEGA DI BABBO SPAZIALE!

E QUEST'ISOLA POTREBBE PROPRIO ESSERE...

...IL SUO MITICO RIFUGIO SEGRETO!

DI CUI IL RAPITORE E' VENUTO MISTERIOSAMENTE A CONOSCENZA, TRASFORMANDOLO IN PRIGIONE!

POSSIAMO VERIFICARE LA NOSTRA IPOTESI IN UN LAMPO!

SE LA FOTO SPEDITA DA BABBO SPAZIALE L'ANNO SCORSO RIVELA LE STESSE TRACCE DELLA LETTERA DEL RAPITORE, ALLORA...

ULP! NON SOLO SONO IDENTICI NELLA PROVENIENZA, MA...

ANDATE VIA DI QUI O...EHM... BABBO SPAZIALE PASSERA' UN GUAIO!

SBAM

183

I...IL MISTERIOSO RAPITORE!

M...MEGLIO ASSECONDARLO!

ANCHE TU, INDIETRO!

OPS!

SWISS

UNA PISTOLA GIOCATTOLO BEN SI ADDICE A UN RAPITORE PASTICCIONE...

TUMP

BUZZ

...O, COME RIVELERÀ IL MIO BOTTONE ASPIRATORE, A UN FINTO RAPITORE!

WOOSH

VERO, BABBO SPAZIALE?

184

I...INCREDIBILE!

TSK! L'HO CAPITO FIN DA QUANDO IL MIO ANALIZZATORE HA RIVELATO CHE LA GRAFIA DEL RAPITORE ERA LA STESSA DI QUELLA SULLA CARTOLINA D'AUGURI AL RE!

IL FATTO CHE SU BIP LA DELINQUENZA FOSSE SCOMPARSA MI AVEVA INSOSPETTITO, MA NON POTEVO IMMAGINARE UNA SIMILE MESSINSCENA!

CHE NON VI FA CERTO ONORE! MA AVETE PENSATO AL TRISTE NATALE CHE AVREBBERO TRASCORSO I NOSTRI BAMBINI?

SOB!

SÌ... MA, FORSE, QUESTA LEZIONE GLI SAREBBE SERVITA PER MEGLIO APPREZZARE I MIEI DONI IN FUTURO!

VEDETE QUELLA MONTAGNA DI LETTERINE? SONO QUELLE DEI BAMBINI DI BIP!

185

VE NE LEGGO UNA, LE ALTRE SONO PRESSAPOCO UGUALI!

"CARO BABBO SPAZIALE, QUANDO TI DECIDERAI A PORTARMI QUALCOSA DI PIÙ ORIGINALE?"

ORMAI I RAGAZZI DEL NOSTRO PIANETA HANNO TUTTO E QUALSIASI COSA GLI REGALI, NON L'APPREZZANO PIÙ!

IO E I MIEI ROBOT ABBIAMO PENSATO TUTTO L'ANNO A TROVARE QUALCOSA DI NUOVO!

MA PIÙ CHE BAMBOLE CIBERNETICHE E PALLONI TELECOMANDATI NON SIAMO RIUSCITI A FARE!

COSÌ, PER EVITARE LE SOLITE CRITICHE, UNA SETTIMANA FA HO DECISO! STOP AI ROBOT!

STOP ALLA MACCHINA DUPLICATRICE DI GIOCHI E... PER QUEST'ANNO, STOP ANCHE A BABBO SPAZIALE!

LA SCUSA DEL RAPIMENTO MI SEMBRAVA UN'OTTIMA IDEA E...

...E INVECE **NON LO** ERA!

NON E' FUGGENDO CHE SI ELIMINANO I PROBLEMI, MA CERCANDO DI RISOLVERLI!

BRAVO, MA COME?

IO UN'IDEA L'AVREI, ANCHE SE IL PENSIERO DI USCIRE DI QUI...

...E INCONTRARE I MOSTRI DELL'ISOLA NON MI SFAGIOLA!

GLOM... GIA'!

TRANQUILLI! BASTERÀ CHE VI ACCOMPAGNI IO E NON VI SUCCEDERÀ NULLA!

DA SEMPRE CONVIVO CON GLI ANIMALI DELL'ISOLA E SONO TUTTI MIEI BUONI AMICI!

E POCO DOPO...

COME IMMAGINAVO, IN FONDO AL SACCO SONO RIMASTI ALCUNI DONI!

CHE NE DICI DI QUESTO ANIMALETTO ALIENO DI PEZZA?

E QUESTO PREISTORICO MEZZO DI LOCOMOZIONE, È ABBASTANZA ORIGINALE?

PIM

FANTASTICO! CON QUESTI NUOVI GIOCHI, PER I BAMBINI DEL NOSTRO PIANETA SARÀ UN NATALE INDIMENTICABILE!

ADDIO BABBO SPAZIALE E NON TEMERE, NON RACCONTEREMO A NESSUNO NÈ DEL TUO RIFUGIO SEGRETO...

...NÈ DEL FALSO RAPIMENTO!

GRAZIE, AMICI! ORA VADO A SOTTOPORRE I GIOCHI AL RAGGIO DUPLICANTE O NON FARÒ IN TEMPO A CONSEGNARLI, QUESTA NOTTE!

E IO RIUSCIRÒ AD ARRIVARE IN TEMPO PER TRASCORRERE IL NATALE SULLA TERRA?

TRANQUILLO, ALLA REGGIA CI ATTENDE UN'ASTRONAVE SUPERVELOCE CHE TI RIPORTERÀ A CASA... TEMPO DI FARE BIP!

YAWN... BENE, PERCHÈ MI STA VENENDO UN SONNO...

RILASSATI, ALLORA... PERCHÈ BASTERÀ UN SEMPLICE BIP E...

BIP

BIP BIP

IL TERRESTRE HA SMESSO DI SOGNARE IN QUESTO MOMENTO!

189

E IO HO FINITO DI ANALIZZARE I SUOI **GADGET**! ARMI TREMENDAMENTE EFFICACI E INGEGNOSE!

UHM... ALLORA I TERRESTRI POTREBBERO RIVELARSI UN OSSO DURO?

SENZ'ALTRO, COMANDANTE!

ANCHE I RISULTATI DEL SONNO DELL'INDIGENO RIVELANO FORTE PERSONALITÀ, SPICCATO INGEGNO E CORAGGIO!

E VA BENE, **ANDIAMOCENE**! ANCHE LA TERRA NON È ADATTA A UNA NOSTRA INVASIONE!

E DEL TERRESTRE, CHE COSA NE FACCIAMO?

BAH... SBATTETELO PURE FUORI CON IL SUO MACININO!

VRR

POCO DOPO...

BIP BIP

SMETTILA DI SUONARE, BUMP, E...

OH, CHE SOGNO STRANO... E CHE BERNOCCOLO!

BIP BIP

E POTEVA CAPITARMI DI PEGGIO APPISOLANDOMI AL VOLANTE DELLA 313-X!

GASP! NON MI ERA MAI SUCCESSO DI AVERE UN COLPO DI SONNO DEL GENERE! E PER FORTUNA NON MI HA VISTO NESSUNO!

ALTRIMENTI, CHE FIGURACCIA PER UN SUPER-EROE COME PAPE-RINIK!

DI CORSA A CASA, ORA! TANTO STASERA NON RIUSCIREI A **SALVARE** NESSUN...

TUMP

...OHI!

È GIUSTO CHE IL MIO PRI-MO REGALO SPETTI A TE, SALVATORE INCONSAPÉ-VOLE DELLA TERRA! BUON NATALE, PAPERINIK... SUPEREROE ÁNCHE NEI SOGNI!

GULP! BABBO SPAZIAL...EHM... BABBO NA-TALE?!

E BUON NATALE A TUT-TO L'UNIVERSO!

FINE

192

PAPERINIK CONTRO I RE DEL ROCK

WALT DISNEY

PAPEROPOLI DI NOTTE, ORE UNA E UN QUARTO...

DOOONG

Testo di Giorgio Pezzin - Disegni di Massimo De Vita

QUANDO...

AAAAHH! AIUTOOOOÓ!

UUAAOOUUUHH!

UACK! CHE SUCCEDE? LAVORO PER PAPERINIK!

195

I RAGAZZINI MI AMMIRANO ... E ANCHE NEL RESTO DEL- LA CITTA' NON SI PARLA CHE DI ME!

LA MARCHESA LAR- DONIS E' UNA CELE- BRITA' E GRAZIE A LEI, ORA IO...

... SONO PER TUTTI ESEMPIO DI **CORAGGIO E TEMERARIETA'**!

COSI', QUELLA NOTTE...

SKREEEE

RIECCOMI PRONTO PER LA RONDA!

CHISSA' CHE NON MI CAPITI UN ALTRO SALVATAGGIO COME QUELLO DI IERI SERA!

TOING TOING

TOING

197

PAPERINIK E **UNA NULLITÀ** IN CONFRONTO! NON SENTITE? NEANCHE DA METTERE!

ORA PERO', SE VOLETE ASCOLTARE, PRENDETE UNA SEDIA E BASTA CHIACCHIERARE!

BLUB!

CHE VERGOGNA! IL GRANDE PAPERINIK SNOBBATO PER UN COMPLESSO DI **RUMOROFANI**!

SARA' UN CASO ISOLATO! PER IL RESTO DI PAPEROPOLI SONO ANCORA UN **EROE**!

INVECE, IL GIORNO DOPO...

EHI, RAGAZZI, AVETE SENTITO LA NOVITA'?

?

199

I CROCK FANNO UN CONCERTO A PAPEROPOLI LA SETTIMANA PROSSIMA!

DAVVERO?

I LORO SPETTACOLI SONO PIENI DI SORPRESE, MUSICA E RAGGI LASER!

ANDREMO TUTTI A VEDERLI!

AI SALVADANAI, PRESTO! DOBBIAMO COMPRARE I BIGLIETTI!

ALT! CHE STORIA E' QUESTA?

PAPERINO

NON PENSERETE DI USCIRE DA SOLI PER ANDARE A VEDERE QUATTRO STRIMPELLATORI?

PUOI...

...ACCOMPAGNARCI...

...ZIO PAPERINO!

MAI! POSSO FARE DI MEGLIO! ANZI, POSSIAMO!

STAREMO IN SALOTTO E VI RACCONTERO' LE ULTIME AVVENTURE DI PAPERINIK!

OH, NOOO!

'NTERESSA ME DI PAPE- RINIK!

SONO I CROCK I NOSTRI NUOVI EROI!

NON SEN- TI CHE RITMO?

MAGARI FOSSIMO ANDATI AL CON- CERTO!

DOMANI CI FARE- MO RAC- CONTA- RE!

GULP! PA- PERINIK E' PAS- SATO IN SECONDO PIANO!

HANNO PERSO LA TESTA PER QUEI QUAT- TRO URLATORI!

TANTO VALE ANDARE A LETTO! SOB! E PENSARE CHE FINO A IERI NON AVEVANO OCCHI CHE PER ME!

PIU' TARDI...

CHE BELLEZZA! PECCATO CHE LO SPETTACOLO SIA GIA' FINITO!

QUEI CROCK SO- NO FANTASTICI! FORTU- NA CHE DOMANI SE- RA DARANNO UN ALTRO CONCERTO!

PASSERO' PAROLA E DIRO' A TUTTI DI ANDAR...

EDISSIONE STRAOR-DINARIAAAA! ONDATA DI FURTI DURANTE IL CONCERTO DEI CROCK!

COSÌ IMPARANO A PERDERE LA TESTA PER QUEGLI STRIMPELLATORI!

ULP!

C'È POCO DA RIDERE! ANCH'IO SONO STATO DERUBATO PERCHÉ ERO AL CONCERTO!

SE PAPERINIK AVESSE VIGILATO, QUESTO NON SAREBBE SUCCESSO!

ULP!

DEV'ESSERE INVIDIOSO DEI CROCK, ECCO LA VERITÀ!

ANCH'IO LA PENSO COSÌ!

È UNA VERGOGNA!

SE FOSSE DAVVERO UN EROE, PROTEGGEREBBE LE NOSTRE CASE MENTRE SIAMO AL CONCERTO, ALTRO CHE!

GULP! ADESSO DANNO LA COLPA A ME!

ANCHE VOI LA PEN-SATE COSÌ?

BE', ECCO... UN POCHI-NO SÌ, ZIO PAPERINO!

I LADRI HANNO APPROFITTATO DELL'ASSENZA DEI PROPRIETARI DURANTE IL CONCERTO!

SE PAPERINIK AVESSE VIGI-LATO...

I LADRI GLIEL'HAN-NO FATTA SOT-TO IL NASO!

È PAZZESCO! QUE-ST'AFFARE MI STA ROVINANDO LA REPUTAZIONE!

PRIMA I CROCK...E POI I FURTI! SE CONTINUA COSÌ, LA FAMA DI PAPERINIK FINIRÀ TRA LE ORTI-CHE!

MA IO NON LO PERMETTE-RÒ! STASERA PAPERINIK ENTRERÀ IN AZIONE E QUEI LADRI DOVRANNO VEDER-SELA CON ME!

QUELLA SERA...

È IL MOMEN-TO! EH! EH! EH!

206

I PAPEROPOLESI STANNO RECANDOSI NUOVAMENTE AL CONCERTO! ECCONE DUE LAGGIÙ...

PRESTO, O FAREMO TARDI!

...E LAGGIÙ, ALTRI DUE!

PRESTO! PRESTO!

A ME UN BIGLIETTO!

LO SPETTACOLO STA PER COMINCIARE!

ANDATE! ANDATE A DIVERTIRVI! STAVOLTA CI PENSA PAPERINIK A VEGLIARE SU DI VOI!

PATTUGLIERÒ TUTTA LA CITTÀ! EH! EH! SE I LADRI SI RIFARANNO VIVI, NON POTRANNO SFUGGIRMI!

ORE DOPO...

NON CE LA FACCIO PIU'!, **GASP! PANT!** E DEI LADRI NESSUNA TRACCIA!

FORSE HANNO SAPUTO DELLA MIA PRESENZA E SI SONO GUARDATI BENE DAL RIPETERE I LORO COLPI!

INVECE, PROPRIO IN QUEL MOMENTO...

ANCHE IL CONCERTO DI STASERA E' FINITO!

CHE MUSICA! CHE LUCI E CHE COLORI! QUEI CROCK SONO ECCEZIONALI!

DOMANI SERA ANDREMO ANCORA E...

CLIK

ULP!

AAAAHHH! MI HANNO RUBATO IL FRIGORIFEROOOO!

NOOO! LA MIA COLLEZIONE DI PIPEEE!

AL LADRO! AL LADRO!

AIUTOOO!

209

E' UN'INDECENZA!

SIAMO IN BALIA DEI MALVIVENTI!

E' CHIARO DI CHI E' LA COLPA!

SE **PAPERINIK** FACESSE IL SUO DOVERE, NON SAREMMO IN QUESTA SITUAZIONE!

BENE!

BRAVO!

COSÌ...

...E PERCIÒ IL CONSIGLIO COMUNALE HA LANCIATO IL SEGUENTE **ULTIMATUM**: O PAPERINIK SI DECIDE A SCOPRIRE I FANTOMATICI LADRI...

...OPPURE PERDERÀ PER SEMPRE LA RICONOSCENZA DI PAPEROPOLI E SARÀ RADIATO DALL'ALBO DEGLI EROI!

GULP! E' TERRIBILE!

HANNO DIMENTICATO TUTTI I MIEI SUCCESSI PASSATI! TUTTO PER COLPA DI QUEI CROCK GUASTAFESTE!

I FURTI SONO COMINCIATI CON I LORO CONCERTI! UHM! FORSE I LADRI SONO D'ACCORDO... MA COME FANNO?

STRANO, PERO'... I PAPEROPOLESI SEMBRANO DIVENTATI TUTTI FREDDOLOSI! E CHE BORSE VOLUMINOSE!

BAH, AVRANNO CON LORO BIRRE E PANINI PER NON PAGARE LE...

WAMP

...UACK!

SIGNORE E SIGNORI, BUONASERAAAA! BENVENUTI AL CONSUETO CONCERTO DEI MAESTRI DEL ROCK!

ECCO A VOI !!!!!!, CROOOCK.

ULP!

LA LAMPADINA FA SPOCK ...LA CANDELA SI E' ROTT ...VIENI CON ME A BAL-LARE IL ROCK...UUUUH...

URGH! MOSTRUOSO! COME FAN-NO I PAPEROPOLESI A RE-SISTERE, NON LO SO!

E TUTTE QUESTE LUCI, POI! FORTUNA CHE HO GLI OCCHIALI DA SOLE!

MA...ULP! I PAPEROPO-LESI NON HANNO GLI OCCHIALI! COSA STA SUCCEDENDO?

SONO IPNOTIZZATI DAL-LE LUCI! SEMBRANO TUTTI INCAPACI DI REAGIRE!

BLUB!

SIETE STATI BRAVI A VENIRE! ANCHE STAVOLTA AVETE FATTO CERTO QUANTO VI ABBIAMO ORDINATO!

SÌ!

PERFETTO! ACCOMODATEVI E CONSEGNATE!

IO HO PORTATO UNA STATUETTA!

IO LE PENTOLE!

IO UNA RADIOLINA!

GULP! ORA CAPISCO! SONO GLI STESSI PAPEROPOLESI CHE SI DERUBANO DA SÈ!

IPNOTIZZATI DALLE LUCI PSICHEDELICHE!

EHI, TU!

TU NON HAI PORTATO NULLA?

EHM...NO! E' LA PRIMA VOLTA CHE VENGO!

MA DOMANI SERA TORNERO'! EH! EH! HO UNA COLLEZIONE DI FRANCOBOLLI CHE... ULP!

VIA QUESTI OCCHIALI! VOGLIO VEDERE CHI...

ZAF

AAAAAH! PAPERINIK!

PROPRIO IO, FURFANTE! ORA FAREMO I CONTI!

SFRUSCH

ALLAR... UAFF!

LARGO!

SBONK

PAPERINIK CI HA SCOPERTI!

PRENDIAMOLO!

ULP! TROPPA FOLLA QUI ATTORNO! IMPOSSIBILE COMBATTERE!

MEGLIO TRASCINARMI DIETRO I BASSOTTI DOVE NON POSSANO FAR DANNI!

INSEGUIAMOLO!

NO! SE LO SEGUIAMO, SIAMO SPACCIATI! RESTEREMO QUI, INVECE!

I PAPEROPOLESI IPNOTIZZATI SONO CON NOI E POTREMO AIZZARLI CONTRO PAPERINIK, SE OSERÀ ATTACCARCI!

BLUB

ULP! È VERO! LORO CONTINUANO A CREDERCI I VERI CROCK!

PROPRIO COSÌ! EH! EH! QUINDI LASCIAMO PERDERE PAPERINIK E PENSIAMO AD ANDARCENE CON LA REFURTIVA!

INTANTO...

ULP! I BASSOTTI SONO RIMASTI INDIETRO! FORSE DOVREI...

TOING TOING TOING

...UAAAHH!

PLONK

TONK

OUCK!

CRASCH

BLONK

PAPERINIK?

ULP! E VOI CHI SIETE?

SIAMO I **VERI CROCK**! I BASSOTTI CI HANNO IMPRIGIONATI PRENDENDO IL NOSTRO POSTO!

COSAAA?

PROPRIO COSI'! CI HANNO ASSALITO ALLA VIGILIA DEL PRIMO CONCERTO, CI HANNO RUBATO I COSTUMI...

... E POI, IRRICONOSCIBILI GRAZIE ALLE MASCHERE, HANNO ESCOGITATO UN PIANO FURFANTESCO ALLE SPALLE DEL NOSTRO PUBBLICO!

INCREDIBILE! ORA E' TUTTO CHIARO!

MA PAPERINIK HA SCOPERTO TUTTO!

ULP! E PER I BASSOTTI?

UHM! SE LI ASSALISSI, POTREBBERO FARSI SCUDO DEI PAPEROPOLESI ANCORA IPNOTIZZATI... LA VIOLENZA NON E' CONSIGLIABILE!

A MENO CHE...

CERTO! SARANNO GLI STESSI PAPEROPOLESI A PUNIRE I BASSOTTI, MA MI SERVE IL VOSTRO AIUTO!

CONTA SU DI NOI!

SKIOCK

AVETE ALTRI STRUMENTI, OLTRE A QUELLI IN MANO AI BASSOTTI, IN SALA?

CERTO!

CON LA NOSTRA **MUSICA ESPLOSIVA** NE CONSUMIAMO UN MUCCHIO! EH! EH! ALMENO **QUATTRO PAIA** A TESTA OGNI SERA!

PERFETTO!

PRENDETENE UNA SERIE COMPLETA E SEGUITEMI! PREPARE-REMO UN CONCERTO **EXTRA**!

POCO DOPO...

ECCO! QUESTA E' LA PARETE CHE CONFINA CON LA SALA DA BALLO! SIETE PRONTI?

PRONTI!

BENE! EH! EH!

COSÌ...

FANTASTICO, PAPERINIK! GRAZIE A TE ABBIAMO RITROVATO IL NOSTRO PUBBLICO E I BASSOTTI SONO FINITI IN PRIGIONE!

BAZZECOLE! EH! EH! ROBA DA NIENTE!

SEI STATO GRANDE, INVECE, E VOGLIAMO RICORDARE LA TUA IMPRESA CAMBIANDO IL NOME AL NOSTRO COMPLESSO!

ULP! E COME VI CHIAMERETE?

D'ORA IN POI SAREMO I **PAPERINIKISS**! EH! EH! ADOTTEREMO IL TUO FANTASTICO COSTUME...

225

n.35
€ 2.30

Disney's ART ATTACK

ART Scherza posto
DI FINE ANNO
SUPER GUSTOSO!

Mi e caduto il CENONE!

COSTRUISCI Testa di TAPPo!

SPECIALE 2005

The Walt Disney Company Italia S.p.A. - Gennaio 2005, mensile - € 2,30 - Periodico Italiana S.p.A. - DL. 353/03 art.1, comma 1. DCB Verona - Way only SE € 4,20 - E € 4,30 - LUX € 4,30 - D € 6,00 - CH Fr. 6,50 - CH Ta: Fr 6,20

OGNI MESE IN EDICOLA!